ESTER BEZERRA

MI HISTORIA

LA DAMA DE LA FE

ESTER BEZERRA

MI HISTORIA

LA DAMA DE LA FE

Planeta

Obra editada en colaboración con Editora Planeta do Brasil Ltda - Brasil

Título original*Minha história. A dama da fé*

Preparación: Luciana Paixão
Revisión: Carmen T. S. Costa, Maria Aiko Nishijima y Carla Fortino
Diagramación: Vivian Oliveira
Portada: Desenho Editorial
Imagen de cubierta: © Demétrio Koch
Fotografías de interiores: Demétrio Koch, Lumi Zúnica, Arquivo Pessoal y
Cedoc/Unipro
Traducción: Marta Angélica Corvino

Colaboración: Raissa Lima Tavolaro, Karla Dunder, Leandro Cipoloni y
Giovanni Oliveira

Agradecimientos: Cristiane Cardoso, Viviane Freitas, Renato Cardoso, Júlio
Freitas, Clodomir Santos, Fátima dos Santos, Marilene Silva, Nanda
Bezerra, Solange Guimarães, Vagner Silva, Marla Dedone, Giovanna y Júlia
Tavolaro.

2016
Todos os direitos desta edição reservados à
EDITORA PLANETA DO BRASIL LTDA.
Rua Padre João Manoel, 100 – 21º andar – conj. 2101 a 2102
Edifício Horsa II – Conj. Nacional – Cerqueira César
01411-901 – São Paulo – SP
www.editoraplaneta.com.br
atendimento@editoraplaneta.com.br

© 2016, Editorial Planeta Mexicana, S.A. de C.V.
Bajo el sello editorial PLANETA M.R.
Avenida Presidente Masarik núm. 111, Piso 2
Colonia Polanco V Sección
Delegación Miguel Hidalgo
C.P. 11560, Ciudad de México
www.planetadelibro.com.mx

Primera edición impresa en México: octubre de 2016
Tercera reimpresión impresa en México: julio de 2017
ISBN: 978-607-07-3746-6

Impreso en los talleres de Litográfica Ingramex, S.A. de C.V.
Centeno núm. 162, colonia Granjas Esmeralda, Ciudad de México
Impreso en México – *Printed in Mexico*

*Al Espíritu del Altísimo que,
en las horas más amargas de mi vida,
me sustentó y me hizo llegar hasta aquí.*

ÍNDICE

Tiempo de confidencias

Soy una mujer de pocas palabras. Siempre lo fui. Mis apariciones en público se limitan casi todo el tiempo a acompañar a mi marido en sus compromisos en Brasil y por el mundo. Fue así a lo largo de los últimos cuarenta años, período de vida de la Iglesia Universal del Reino de Dios que se cumplirá en 2017. De las prédicas solitarias en la glorieta y en la funeraria hasta los eventos con multitudes en estadios de fútbol y las prestigiosas solemnidades del Templo de Salomón, yo viví todo intensamente con discreción. Tengo placer en este papel de fiel compañera, pero ahora, a los 66 años, decidí escribir sobre lo mucho que el papel de la mujer es tan fundamental como el del hombre, sin que sea necesario imponer su voluntad, ni subestimar al sexo masculino o incluso aparecer tanto. Decidí revelar mis memorias. Contar detalles de lo que jamás dije, no solo para probar la dimensión de Dios en mi vida, sino también para mostrar lo que Él es capaz de hacer a través de una mujer común como yo.

No fue una misión fácil. Tocar antiguas heridas, exponer mis fragilidades, reconocer errores, develar mi intimidad como nunca pensé hacerlo, expresar mis pensamientos sin restricciones. Colocar todo eso en el papel se demostró más difícil de lo que yo imaginaba. «La dama de la Fe» es un libro de narraciones auténtico y cargado de sinceridad. Los que esperan encontrar aquí a una supermujer, dotada de algún tipo de capacidad extraordinaria, van a decepcionarse. También soy una persona sujeta a las más diferentes flaquezas.

Escribí parte de los capítulos fuera de secuencia, de forma temática, para subrayar mis experiencias espirituales. No es una simple retrospectiva ni sigue una rigurosa línea de tiempo. La serie de reflexiones se descubre conforme desarrollo mis relatos de vida, intentando conducir al lector a un edificante viaje en el tiempo en busca de conocimiento.

Son pasajes nunca antes pormenorizados sobre mi matrimonio — y no solo los instantes de dulzura y armonía -, los dilemas enfrentados en mi interior, las lecciones aprendidas como hija, esposa, madre y abuela, el papel de la mujer dentro y fuera de la Iglesia. Destaco la importancia del proyecto de ayuda a millones de mujeres, coordinado actualmente por nosotras, tal vez un lado desconocido del gran público. Y comienzo esta zambullida al pasado por el punto de partida de todo: el momento exacto de mi primer encuentro con Edir y nuestra caminata hasta nuestro soñado «sí» en el Altar.

Los dolores formaron parte de la construcción de quien soy hoy. Y cuento todo por primera vez bajo mi punto de vista. La madre que llora el nacimiento de la hija con una deficiencia. El flagelo de quien padeció, sin murmurar, para mantener a la familia de pie mientras su compañero luchaba desde el comienzo por el rescate de los afligidos. La compañera que lamenta al marido, al pastor rechazado. Los sufrimientos durante el crecimiento de la Iglesia para ser el soporte necesario al esposo, aun cuando sus límites eran superados. Las espinas de vivir aislada, lejos de parientes y amigos, con nostalgia de la tierra natal. La decepción por la intolerancia de aquellos de los que se esperaba aceptación y aprobación. La tristeza de cometer faltas como madre. La amiga consejera que convive con la nostalgia de las hijas. La abuela que alienta a los nietos distantes. La angustia por la pérdida de los padres. La esposa leal que enfrenta el prejuicio, la humillación y los ataques contra la honra de sus seres queridos.

¿Y qué prevalece? La mujer de fe que edifica su casa, que se dedica al amor de su juventud y hoy sonríe al certificarse de cómo el Espíritu de Dios la guió en un camino de tantas batallas.

Este libro también va a revelar más sobre mi marido, de ahí la justificación para el subtítulo: *«Secretos de la mujer que transformó a Edir Macedo»*. Nuestra unión nos cambió por dentro y por fuera. Tuvimos un antes y un después tras nuestro intercambio de alianzas. Edir también es protagonista en los capítulos de esta mi travesía, aun ya habiendo revelado su trayectoria en el éxito biográfico *«Nada que perder»*.

Seguí con entusiasmo el recorrido victorioso de los libros de las memorias de mi marido. No para aparecer o recibir aplausos de multitudes, sino porque nuestra historia es la historia de muchos. Dios honra a aquellos que Lo sirven, siempre los honró y siempre los honrará. Fue así que testimonié la trilogía literaria de Edir, lanzada con records de público en más de noventa sesiones de autógrafos en 34 países de cuatro continentes, destacándose en espacios consagrados como el Salón del Libro de París, Ferias internacionales del Libro en Estados Unidos y en España, además de librerías renombradas en Londres, Nueva York, Roma, Moscú y otras ciudades de Europa, Asia, África y América Latina.

Pero lo que más me impresionó como su fan número uno fue ver a Edir participar personalmente solo de un evento: el lanzamiento dentro de un presidio en San Pablo, lado a lado con cientos de detenidos. Yo admiro, cada día más, su continuo empeño para que su biografía sea distribuida en barrios carenciados, tribus indígenas y ciudades costeras de Brasil, aldeas y villas africanas, barrios con minorías excluidas en las naciones latinas, centros de recuperación de adictos, hogares de prostitutas, hospitales y asilos de varios países. No porque desea ser conocido, sino porque su historia es la prueba de que Dios puede transformar la vida de cualquiera.

Ese es el hombre con el que me relaciono 24 horas por día, con quien comparto la vida hace casi medio siglo y que *«La Dama de la Fe»* va a abordar de una manera inédita.

Fueron más de cuarenta horas de entrevistas dadas a nuestro leal amigo, el periodista y escritor Douglas Tavolaro, coautor de este libro y vicepresidente de Periodismo de Red Record, que convive con nosotros hace quince años. Fundamenté mi narración en archivos y anotaciones personales, con la ayuda de relatos de pastores y esposas antiguos en la Iglesia, testimonios de mis hijos y yernos, registros y reportajes de época. En algunos casos, fue necesario contar solamente con mi memoria.

La obra se basa principalmente en mis recuerdos y en los de Edir, por eso, hay una serie de personas cercanas y anónimas que, involuntariamente, pueden estar ausentes, lo que no disminuyó mi gratitud por cada una de ellas. Se suman a eso fotografías y documentos que componen *«La Dama de la Fe»*, dos cuadernillos de imágenes ligadas a mi pasado y al presente. Una composición completa y original de mi vida. Un registro de todo lo que vi y viví.

El lector puede preguntarse: pero ¿qué la deja más feliz en este momento de inmortalizar sus recuerdos? Una constatación, por encima de todo: nadie, nunca, ni hoy ni en el futuro, será capaz de afirmar que mi trayectoria es resultado de la capacidad de una mujer. Ninguna resistiría a tantas presiones. Ninguna aguantaría firme, silenciosa, tantas dificultades. Ninguna viviría tantas conquistas por sus propios méritos. Una mujer sola jamás idearía y construiría, al lado del marido, todo lo que estaba por venir. Soy la prueba viva de la existencia del Dios de la Biblia. Esa es mi mayor conquista. Ese es mi legado.

Gracias por la oportunidad de compartir mi historia con cada uno de ustedes, queridos lectores. Que el amor, la confianza, el espíritu de superación y, sobretodo, la fe, contenidos en las páginas de este libro, se reflejen en su vida.

CAPÍTULO 1

El amor para la vida

Un encuentro sin fin

No fue amor a primera vista.

No ocurrió un momento mágico de pasión repentina como cuentan las fábulas de romance que nos hacen suspirar. Pero fue un día imposible de olvidar. La primera vez que intercambié palabras con ese muchacho delgado, sonriente, de cabellos voluminosos hacia un lado, ojos tímidos, pero brillantes de vigor, no me imaginaba que comenzaría allí una historia de fe que cambiaría mi vida para siempre.

La iglesia permanecía repleta los domingos, con un intenso vaivén de gente. Era un encuentro entre jóvenes.

— Hola, ¿tú eres Edir? — pregunté, discretamente, al acercarme a él.

— Sí, mucho gusto… ¿todo bien?

Un breve silencio interrumpió la charla. Él fijaba su mirada en mí de un modo diferente.

— Hola, soy Ester. Mi tía Lydia me dijo que tú das clases particulares de matemática. Estoy necesitándolo mucho. ¿Me puedes ayudar?

Él parecía no oírme.

— Eso mismo, yo enseño matemáticas… estoy listo, cuando quieras — respondió, cortésmente, con una sonrisa abierta.

Yo no lo sabía, pero Edir ya me observaba en las reuniones de nuestra iglesia, Nueva Vida, en la antigua sede de la ABI, la Asociación Brasileña de Prensa (sigla en portugués), en el centro de Río de Janeiro. Estábamos en el otoño de 1971.

Yo había acabado de cumplir 21 años y él 26. Llevaba una vida recatada, dedicada a los estudios y a la familia, era la gran compañera de mi mamá y, como toda joven de aquella generación, aspiraba encontrar al hombre de mis sueños. Apreciaba ser vanidosa, claro, sentía placer en usar vestidos nuevos, en probar buenos perfumes y en mantener el cabello arreglado, pero buscaba siempre la discreción. Había aprendido de mi madre a ser reservada. Y fue eso lo que conquistó a Edir sin que yo me diera cuenta.

Él recuerda que me había notado por primera vez ocho años antes de ese pedido de ayuda para estudiar matemática. Yo atravesaba el entrepiso de la iglesia cuando su mirada se detuvo en mí, así como sucedió cuando le pregunté si me podía dar clases. Un pensamiento lo incomodó en ese momento, como si fuera una voz afirmando enfáticamente: «Es ella. Ella va a ser tu esposa».

— Al instante rechacé eso. Me acordé de las muchachas del interior de Minas Gerais, donde viví parte de mi juventud. En ese tiempo, el modelo de belleza que tenía en mente era el de «mujer fatal», aquella que atrae la atención de los hombres por donde pasa. Estaba engañado — recuerda Edir.

Aunque ya dedicado a la iglesia, él aún no había tenido un encuentro personal con Dios.

— Tiempo después, cuando ya me había convertido y buscaba a una mujer con quien compartir la vida, mi hermana Elcy comentó casualmente sobre Ester. Yo, entonces, empecé a notarla con más cuidado. Mi visión era diferente. Me había decepcionado con lo que los ojos podían ver, quería a alguien que tuviera una belleza que no se viera. Incluso considerando a Ester una joven linda, realmente me atrajo su manera de ser.

No recuerdo ese momento. Mis recuerdos de Edir son de la época en la que ya organizaba el trabajo voluntario de evangelización del grupo de jóvenes. No era un movimiento con griteríos, música alta e histerias. Nunca me gustaron esas cosas. Lo miraba de reojo. Algunos años antes, solo había hecho un comentario rápido sobre él.

Durante los cultos, los miércoles y los domingos, solía sentarme con mi mamá muy atrás, en la galería. Y todo el tiempo notaba a un muchacho delgado que estaba en el entrepiso. Pero lo que realmente llamaba mi atención era su actitud. Cada vez que el pastor invitaba a las personas a que renunciaran a sus vidas en el Altar, siempre surgía el joven flaquito.

— ¿Quién desea entregarle la vida a Jesús? — preguntaba el pastor.

Allí estaba ese muchacho nuevamente con el brazo finito levantado, caminando hacia adelante del Altar. Esa escena se repitió muchas veces. Un día le comenté a mi mamá:

— Tengo pena de ese muchacho. No logra entender nada. No se convierte nunca.

Mi madre no abrió la boca. Solo sonrió.

Hoy, entiendo que Edir estaba sediento en buscar un sentido para su vida, una conquista capaz de revolucionar su ser por entero y de transformarlo en quien se convirtió hoy.

En fin, marcamos nuestra clase de matemáticas para un sábado, pocos días después del momento en el que habíamos conversado por primera vez. Lo combinado era que me enseñara en mi casa. Yo acabada de graduarme en el curso de técnico de contabilidad y deseaba mucho ser aprobada en el concurso público para un empleo en Barerj, el Banco del Estado de Río de Janeiro, que en aquel tiempo era llamado Banco de Guanabara. Había muchos postulantes para las vacantes, por eso, me había matriculado en un curso preparatorio cercano a la Avenida Rio Branco, en el centro de Río.

Combinamos en encontrarnos allí para que pudiera enseñarle el camino hacia mi casa. Más de cuarenta minutos de ómnibus con destino hacia el barrio Jardim América, del otro lado de la ciudad, en la región norte. El sábado de nuestro encuentro, eufórica, le comenté a un grupo de compañeros del curso que dejaría de tener dificultades para aprender matemática con las clases particulares. Al salir del edificio, al fin de la mañana, ni bien me saludó, Edir enseguida puso su brazo sobre mis hombros. Para mí y para mis amigas, a quienes les acababa de decir que él me enseñaría matemáticas, fue incómodo.

— Profesor, ¿no? No sé, ¿qué profesor es ese? — se repetían los comentarios, humorísticamente, la clase siguiente.

Avergonzada, quité la mano de Edir de mi hombro y noté que había en él otras intenciones más allá de enseñarme números y cálculos.

— ¡Eres muy atrevido, eh!

Él retrucó al instante:

— Realmente lo soy.

Y puso el brazo nuevamente en mí. Su determinación y osadía me agradaron de inmediato, fueron justamente las cualidades que habían faltado en mi relación anterior. Y fuimos caminando así hasta la parada de ómnibus. Desde ese minuto en adelante, él me tomó de la mano y parecía no querer soltarme por nada. Yo estaba tensa porque mi padre, rígido en la educación de sus hijas, hacía el mismo trayecto hasta la parada de ómnibus para hacer pagos. Muchas veces volvíamos juntos a casa en ese horario del sábado.

— Si él aparece, yo le explico. Puedes quedarte tranquila — aseguraba Edir, ya sentado a mi lado en el asiento de los pasajeros, manteniendo su mano pegada a la mía.

Llegamos a casa sin ser notados, para mi alivio. Mi madre enseguida notó mi incomodidad. Ella y mi padre tenían una simpatía natural por Edir, incluso sin conocerlo en la intimidad, debido a que estaba involucrado en las actividades de la iglesia. En el living, frente a los manuales, los papeles y la calculadora, los números no entraban en mi cabeza. Pensaba en todo lo que sucedía, ya imaginándome cómo sería ese muchacho como mi novio. ¿Sería él el hombre de mi vida? ¿Cómo podría enamorarme de él si antes ni siquiera lo había notado? ¿Tendría él realmente un carácter honesto y fiel, capaz de hacerme una mujer plena? ¿Sería la respuesta de Dios a mi deseo de ser una esposa feliz?

— Todo bien, Ester. Estudiamos más después — me dijo Edir, interrumpiendo la clase.

— Hasta pronto Sra. Eunice. Fue un gusto volver a verla — se despidió Edir, envuelto de simpatía con mi familia.

Apenas regresó a casa, el teléfono sonó. Edir fue objetivo, sin rodeos:

— Ester, quiero que seamos novios. Quiero mucho que seamos novios. Yo ya te miro desde hace mucho tiempo. Voy a hablar con tu padre.

La costumbre de esa época era comenzar un noviazgo inmediatamente después de la autorización del padre de la muchacha. Aún hoy, les enseñamos esta virtud a los más jóvenes. La Biblia enseña que los padres tienen autoridad espiritual para bendecir la vida de los hijos. A cada actitud de Edir, yo quedaba más impresionada con la certeza de sus decisiones. No había margen de duda para nada. Convicción tras convicción. Era una fe que rebosaba certeza.

— Papá, ese muchacho que me da clases de matemáticas quiere hablar con usted. Quiere ponerse de novio conmigo — le adelanté, antes del culto.

— ¿Edir? Parece un buen muchacho, hija. Lo veo en la iglesia — me calmó, añadiendo otra reflexión:

— ¿Estás segura de que olvidaste al anterior?

— Sí, estoy segura — le respondí, sin titubear.

Edir y yo habíamos acabado de romper relaciones anteriores y cargábamos experiencias amargas que nos ayudarían a responder ciertos cuestionamientos del alma, como voy a contar detalladamente algunas páginas más adelante.

La charla fue rápida. Mis padres autorizaron el noviazgo. Después de una semana, fuimos al cine solos y allí tuvimos nuestro primer beso. De la película *Love Story*, en cartelera esa tarde tan especial, quedó en mi memoria solo el título de la sesión. ¡Intercambiamos cariño durante toda la película!

Comenzamos, entonces, a encontrarnos en la iglesia y a la salida de su trabajo. Pasábamos horas conversando despreocupadamente, con aires apasionados. Queríamos vernos todos los días. Yo iba hasta el centro de la ciudad, lugar donde estaba la Loterj, la Lotería del Estado de Río de Janeiro, empresa en la que Edir trabajaba en el sector de tesorería.

Alegres, caminábamos sin compromisos, buscábamos conocernos más de cerca uno al otro en paseos románticos en el parque. Las charlas, los desahogos, las confesiones, revelaban los pensamientos de cada uno. Dos jóvenes soñadores, imperfectos, pero con una convicción sincera, con sus ideales, miedos y diferencias, en búsqueda de un matrimonio feliz, de una vida completa. Un afecto puro había entrado en nosotros. Parecía que nos habíamos estado buscando el uno al otro hacía tiempo y, finalmente, nos habíamos encontrado. Para nunca más separarnos.

Sin embargo, en poco tiempo, dilemas anteriores y conflictos distintos intentarían impedirnos llegar al Altar. Nuestra confianza sería probada.

232 días exactos

Edir quería todo rápido. Ya en las primeras semanas de noviazgo, él hablaba de casamiento. Yo seguía en la misma perseverancia. Cinco meses habían pasado cuando decidimos anunciar nuestro compromiso. Teníamos planes de casarnos en diciembre de ese año. Edir propuso un almuerzo para el intercambio de alianzas, en presencia de nuestros padres. Las familias se conocieron más profundamente ese día. El encuentro ocurrió un sábado, en mi casa.

— Yo consagro estas alianzas y bendigo la unión de Ester y de Edir. Que el camino de ellos sea iluminado — oró mi padre, antes de la comida.

Mis manos permanecían un poco temblorosas cuando él puso el anillo en mi dedo de la mano derecha. Era un instante único para mí. Edir estaba muy feliz, la mesa perfecta. El almuerzo fue agradable con largas conversaciones y buenas risas. Durante varios años, la madre de Edir, Eugênia Macedo Bezerra, la Sra. Geninha, como era cariñosamente llamada por todos, se acordó de ese encuentro y del pescado servido con un sabor inigualable. Yo misma ayudé a preparar los platos, incluyendo un apetitoso postre. Quería mostrarle mis dotes culinarias a él.

Consideré notable la iniciativa de juntar a las familias en un almuerzo de compromiso. Edir transmitía una postura de seriedad, de un hombre dispuesto a un auténtico compromiso y, al mismo tiempo, cuidadoso con los valores familiares. Eso hizo aumentar mi admiración por él cuando nos estábamos conociendo más a fondo.

Descubrir a la familia de Edir fue una experiencia diferente. Yo fui criada en un hogar evangélico, donde mis padres y mis abuelos meditaban sobre las palabras de la Biblia con nosotros, oraban antes de las comidas y nos enseñaban acerca de la importancia de la vida con Dios. Estaba prohibido gritar dentro de casa. El ambiente manso y pacífico de mi hogar se chocó con la rutina de los parientes de Edir. Al participar del día a día de su familia, me asustaron sus hermanos discutiendo entre sí, incluso en mi presencia, como si fuera algo normal. Oía decir que su padre era riguroso y, por eso, estaban acostumbrados a reclamos y conflictos personales. Eran escenas jamás vistas por mí, nunca había enfrentado situaciones semejantes, lo que provocaba una sensación de distanciamiento de lo que realmente yo quería. Confieso que tuve recelo de entrar en esa familia.

La primera vez que encontré a la Sra. Geninha, ya como la novia de Edir, terminó siendo una circunstancia incómoda. Desde siempre, ella fue una madre innegablemente presente y protectora de sus hijos. Al final del culto, me paró en el pasillo para hacerme una indagación curiosa.

— ¿Qué quieres con mi hijo? ¿Qué viste en él? — me interrogó, delante de los demás fieles que dejaban el salón.

Yo estaba sola en ese instante. Tímida, respondí:

— Todavía nos estamos conociendo. Solo estamos de novios.

— Mira bien, no hagas sufrir a mi hijo — sentenció.

Semanas después, acompañé a Edir a una visita de costumbre a sus hermanas. Después del almuerzo, cuando ya me despedía, una de ellas reparó en mi vestido.

— Caramba, tienes un gusto muy diferente. Tu ropa es muy seria, parece de señora.

Nunca nadie me había criticado de forma frontal de esa manera. El vestido había sido hecho por mi madre especialmente para ese momento.

— Mi hermana es así, muy indiscreta. Déjala, Ester — me calmaba Edir, dulcemente.

Con el pasar de los años, obviamente, aprendí a comprender y a lidiar con la naturaleza de la familia de Edir. Creamos un lazo de respeto y amistad que dura hasta los días de hoy. La Sra. Geninha se transformó en una de las mayores admiradoras de nuestro matrimonio y quien más me apoyaba en el papel de madre y esposa. En aquel tiempo, sin embargo, me abatía con las imágenes que presenciaba.

En casa, a solas, entre pensamientos que vagaban mientras estaba acostada en mi cuarto, comencé a reflexionar sobre nuestro noviazgo. Sentía miedo, una vasta inseguridad de cómo agradar a mi novio y a su familia. A veces me consideraba incapaz de ser la mujer que todos esperaban. Mi madre era quien me aconsejaba con palabras suficientemente audaces como para levantarme:

— Hija mía, cálmate. La reacción de su madre es señal de que él es un buen hijo. Y cuando es buen hijo, será un buen marido.

Pero entonces tuve otro descubrimiento que me dejó aún más preocupada: el temperamento tempestuoso de Edir. Al principio, aprecié su audacia en pequeñas actitudes, como la de abrazarme inmediatamente el primer día y la de estar dispuesto a presentarse rápidamente a mis padres, sin embargo, el lado fuerte de su genio comenzó a aturdirme de dudas. No estaba habituada a comportamientos rodeados de imposiciones. De pronto, me exigió que no dijera malas palabras. Nunca tuve ese hábito, pero, aun así, él se ocupó de ser categórico:

— Terminé mi último noviazgo porque la chica dijo una mala palabra. Sola una. Entonces ten cuidado para que no se te escape ni siquiera una. — me avisó.

— Y nunca me dejes solo. Te quiero a mi lado todo el tiempo — añadió.

Me imaginé que había cierta exageración en el pedido, pero era el más absoluto retrato de la realidad. Incluso en mi casa, ni siquiera podía ir a la cocina o a mi cuarto mientras él estuviera en el sillón del living. Edir ya me miraba enojado. Yo tenía que estar a su lado, incluso si estaba ocupada. Él no me compartía con nadie, ni con mis padres y hermanos. Si me atrasaba diez minutos en el momento de encontrarlo, seguro se enojaba.

— Eso no se hace. Estoy aquí parado, esperándote — me reclamó, cierta vez, cuando me esperada a la salida de su trabajo, en el centro de Río.

Yo intentaba defenderme:

— Caramba, pero por diez minutos…

Edir venía del interior de Río de Janeiro, de una familia numerosa acostumbrada a enfrentar la dureza del trabajo desde la adolescencia, sobre todo los hombres. Su padre los había criado, correctamente, con la mentalidad para superar los desafíos de la vida a base de la dedicación, de la corrección y del esfuerzo sin límites. Sin embargo, yo, desde temprano, no tenía horario para despertarme a no ser en los períodos en los que estudiaba por la mañana. Nunca había trabajado porque contaba con el apoyo económico de mis padres. Además de lo cual, era natural que aún fuera emocionalmente inmadura. Esa diferencia de modos de vivir generó un choque.

— Sra. Eunice, por favor, no quiero que Ester pase de las ocho de la mañana en la cama. A las ocho tiene que estar de pie — llamaba Edir a mi casa, negociando con mi madre.

Eso es raro. Si él es así siendo mi novio, imagínate cuando nos casemos. ¿Cómo va a ser, mamá? — me desahogaba a solas con ella.

Al mismo tiempo, Edir me conquistaba por sus diversas virtudes. Antes que nada, la severidad consigo mismo en su conducta fiel a Dios. Su carácter cristiano íntegro, la honestidad, el empeño al trabajo, el aprecio a los valores de la familia y también, no menos importante, la manera afectuosa como me trataba cuando estábamos juntos y por su determinación en desearme como esposa. Además de eso, siempre me pareció un hombre lindo e inteligente. Edir sabía cómo hacerme feliz.

La fecha de casamiento ya estaba marcada para el 18 de diciembre, ocho meses después del comienzo de nuestro noviazgo. Exactamente 232 días después de nuestra primera conversación ese año de 1971. La semana en la que las dudas me abatían, decidí repensar algunas decisiones:

— Mamá, creo que voy a desistir de Edir. Lo quiero mucho, pero tengo miedo. Él tiene un temperamento muy fuerte.

— Piénsalo bien, hija mía. Él es un buen muchacho, ten cuidado con esta decisión. Puedes deshacer un casamiento hasta el último momento. Solo no puedes dar un paso incorrecto. Ora, querida — ella me orientó, con su tono de voz suave.

Le pedí a Edir que nos encontráramos en el camino hacia una reunión más de la iglesia, en la región de Aterro da Glória. Estaba dispuesta a desahogar mis miedos, pero no me sentía en el derecho de entristecerlo. Preferí no comentarle sobre mis dificultades con su genio.

— Creo que ya no voy a casarme contigo. Tengo miedo. No sé si esa es la voluntad de Dios para nuestras vidas.

Edir me oyó callado. Repentinamente, sostuvo mis manos con firmeza y, con su manera de ser más que determinado, respondió:

— ¡Pero yo estoy seguro! ¡Estoy seguro de que es la voluntad de Dios!

Aquellas palabras de convicción me sacudieron al instante. Su reacción me pasó fe en ese mismo momento y, a partir de allí, eliminó todos los cuestionamientos e inseguridades sobre la definición de mi futuro marido. Me hice resistente para seguir adelante. Fue como si Dios hubiese respondido en ese momento que nosotros estábamos dentro de Su voluntad. Pasamos a querernos con más intensidad todavía. Estábamos en la dirección correcta. La dirección escogida por Dios. Yo mal sabía que era esa fe la que me iba a transformar en una dama de la fe un día.

El espíritu que nos unió

Comenzamos los preparativos para el casamiento. El tiempo era corto, necesitábamos ser rápidos. Los apuros no se detuvieron ni siquiera un día: del vestido de novia al ajuar hasta la decoración de la iglesia y el viaje de luna de miel. El dinero era escaso. Nuestras familias vivían un momento económico problemático. Dependíamos solo del salario contado de Edir como empleado público. Sin embargo, nuestro amor estaba por encima de las circunstancias, queríamos construir todo juntos.

Entusiasmados, ansiosos por la fecha tan inolvidable, empezamos a invitar a los padrinos para la ceremonia. Fui personalmente a entregarle la invitación a uno de los pastores de la Iglesia Nueva Vida de Niterói, el lugar adonde concurríamos antes de que toda nuestra familia se mudara a Río a causa del trabajo de mi padre. Teníamos un aprecio particular por el pastor de allí por haber sido siempre muy atento con nosotros. Mi madre llegaba a decir que no había otro líder religioso tan gentil como él en toda nuestra comunidad. Llegué poco antes del culto principal de la noche.

— Pastor, estaba de novia y me comprometí con Edir. ¿Usted lo conoce? — le conté, exultante.

Él enmudeció. Con la voz desconfiada, replicó:

— ¿Edir? Lo conozco, claro…

— Me pondré muy feliz si usted acepta la invitación para ser mi padrino de casamiento.

— Ah, claro… todo bien — continuó, sin entusiasmo.

Casi despidiéndose, agarrando la invitación en manos, me llamó:

— Hija mía, quiero hablar contigo después de la reunión.

Al final del culto, tuvimos una charla reservada en la propia iglesia. El pastor fue sucinto:

— Piénsalo bien, Ester. Este muchacho no es para ti.

Enseguida, pasó a detallar los motivos por los que tenía una opinión tan fuerte. Para él, Edir no preservaba una vida sentimental estable, no se afirmaba en una relación, y, como yo ya sabía, tenía un empleo modesto como funcionario público. El pastor conocía bien el historial de vida de mi padre, un empresario exitoso hasta hacía poco tiempo, y entendía que él jamás me daría de nuevo la comodidad y el bienestar de los tiempos de prosperidad.

— Abre los ojos, hija mía. Vas a hacer un mal casamiento.

Admito que me asusté con el consejo, pero nada podría quitar la fe sembrada dentro de mi interior. Lo peor vendría después: al encontrar a mi madre en la iglesia, el mismo pastor le pidió contarle un secreto.

— Tuve un sueño con Ester, Sra. Eunice — le confió.

— ¿Cómo pastor? ¿Un sueño? ¿Con mi hija? No entendí — retrucó, espantada, mi madre.

— Ester estaba en un lugar muy alto, triste y llorando amargamente.

El pastor intentó inundarme de dudas para impedirme que aceptara el casamiento. Quedé preocupada y un tanto insegura. ¿Cómo un pastor es capaz de tener esa visión? ¿Sería un aviso de Dios? ¿Acaso él estaba inventando todo eso? Nuestra familia nunca había creído en dogmas de profecías o revelaciones, en la práctica de la adivinación del futuro adoptada por algunos grupos evangélicos. Fue cuando mi madre recordó al hijo del «pastor adivino».

— Espera un poco. Él me habló varias veces sobre su deseo de casarte a ti con su hijo. Llegó a decir que pedía siempre que eso sucediera — recordó mi madre.

Develamos el misterio. De hecho, el pastor tenía un hijo de mi edad, novio de una muchacha de afuera de la iglesia, y deseaba para él a una muchacha fiel de su comunidad. Edir supo esa historia muchos años después, cuando ya estábamos casados.

Tanto él como yo habíamos pasado recientemente por la misma experiencia dolorosa: la ruptura de un compromiso. El fin de la relación de cada uno había dejado marcas y aprendizajes. Comprometido hacía tres meses con una muchacha de la Iglesia Nueva Vida, Edir había desistido del casamiento después de oír una mala palabra. Una única palabra. Un detalle, para muchos aparentemente insignificante, fue suficiente para deshacer un proyecto de vida. Como yo, Edir buscaba a una persona que tuviese los mismos valores y principios de fe y, a veces, son los pequeños detalles los que muestran quiénes somos en lo más íntimo.

Conmigo sucedió de la misma forma. Incluso estando comprometida, yo perseveraba en mis oraciones pidiéndole al Espíritu de Dios que guiara mi elección en la decisión correcta sobre el hombre de mi vida. La relación fracasó porque yo no veía un compromiso de fidelidad en mi entonces prometido. Y una actitud sospechosa de él me llevó a una decisión definitiva: el fin inmediato de nuestra relación. Era como si una venda hubiese sido arrancada de mis ojos.

Incluso en ese tiempo, ya notaba a innumerables chicas de mi edad lanzándose en relaciones desastrosas. Embriagadas de pasión, las muchachas se lanzaban movidas únicamente por el deseo desesperado de intercambiar alianzas con un hombre. El sueño del vestido de novia, de la fiesta y de la nueva casa, se transformaba rápidamente en una pesadilla. Un salto de cabeza en el peñasco de la emoción. Yo Le imploraba a Dios que me librara de un matrimonio equivocado. Era inmadura, demasiado joven, ni siquiera sabía separar correctamente el sentimiento de la fe, no comprendía bien el significado de la fe inteligente, pero había en mi interior temor y fidelidad a Dios. La sinceridad en desear una unión de acuerdo con la voluntad divina me hizo dar el paso correcto.

En mis momentos de meditación, sola en mi cuarto u orando bajito en la iglesia, rasgaba mi interior pidiendo que fuera hecho el querer de Dios y no el de mi corazón. Esa súplica me acompañaba constantemente. Como dijo Jesús: *«Pero no se haga Mi voluntad, sino la Tuya»* (Lucas 22:42). Por más demorado que fuera, esperaría el tiempo necesario para que la voluntad de Dios fuera hecha en mi vida sentimental.

Recuerdo claramente las noches de oración.

— Mi Dios, quiero que sea hecha Tu voluntad. Incluso si me parece que me gusta este o aquel muchacho, no permitas que suceda mi deseo. Jamás — rogaba, al pensar en los temores sobre el futuro.

Los ejemplos negativos en mi familia también me alertaban sobre los riesgos de un mal matrimonio. Desde niña, ya pensaba así cuando notaba el sufrimiento de mi tía debido a las traiciones de su marido. Yo doblaba mis rodillas, delante de Dios, para pedirle que nunca me sucediera algo semejante. Así como yo, Edir también presenciaba parejas de su familia en un verdadero pie de guerra. Peleas y agresiones perturbaban la unión de algunos de sus hermanos.

Incluso antes de conocernos, cada uno a su manera, en lo referente a su propia vida de soltero, clamábamos a Dios por un matrimonio feliz. Y Él nos juntó en el momento indicado. Tengo consciencia de que eso solamente fue posible después de mi encuentro con Dios, ocho años antes.

Incluso habiendo nacido en una cuna cristiana, necesité recorrer mi propio camino para alcanzar una experiencia personal con mi Señor. Tenía trece años cuando pastores de diversas denominaciones trajeron a Brasil a un misionero norteamericano para una concentración de fe en el estadio Caio Martins, en Niterói. Era una tarde de sábado soleada. Fui acompañada por mi hermano y su novia.

El misionero predicó sobre el destino de nuestra alma y el riesgo que corrían todos los que no Le entregaban sus vidas al Señor Jesús. Me identifiqué con cada palabra dicha en ese lugar. Deseaba sinceramente encontrar al Dios de mi Salvación, pero, muchas veces, me consideraba sin pecados simplemente por el hecho de haber nacido dentro de una iglesia evangélica. Qué engañada estaba. Eso no era suficiente, necesitaba reconocerme como una pecadora exactamente igual a las demás personas, sin absolutamente ninguna distinción. Yo cargaba la herencia del pecado, desde mi nacimiento, como cualquier otro ser humano.

— Jesús vino para salvarlo. Y hoy es su oportunidad. Por favor, venga aquí adelante — me invitó el misionero, delante de millares de presentes.

Lentamente, caminé en dirección al altar en el centro del estadio. Cabizbaja, parecía comprender ahora el tamaño de mi insignificancia. El himno antiguo, cantado en tono de oración, elevó mis pensamientos hacia lo Alto.

«*Manso y suave, Jesús está llamando.*
Llama por mí y por ti
Alma cansada, ¡ven ya!
Ven ya, ven ya…»

Incluso siendo aún muy joven, reconocí que era un alma cansada, necesitaba ser llenada de Ese amor sin igual. La oración solitaria en medio de la multitud. El arrepentimiento. Las lágrimas suplicando perdón. El agradecimiento con una alegría interior imposible de describir. La fe de que todo, a partir de entonces, pasaría a ser diferente. Comenzando por mí.

El mismo Espíritu que estaba conmigo en ese estadio, haciendo brotar la razón de vivir y la felicidad plena en mi interior, me unió a Edir y nos condujo a un matrimonio de más de cuatro décadas.

La sonrisa de él

Nuestro casamiento fue marcado para la noche del sábado 18 de diciembre de 1971. La primera decisión conjunta más importante fue el lugar donde íbamos a vivir después de casarnos. El presupuesto era extremadamente apretado. Contábamos solo con el salario limitado de Edir en la Lotería. Fue cuando la señora Geninha le pidió a un antiguo amigo de su familia, a un ex hacendado en la ciudad donde vivían y ahora comerciante rico de la región, dueño de diversos inmuebles en Río de Janeiro, que nos ayudara a encontrar un departamento.

El valor del alquiler tenía que ser bajo, por eso, terminamos optando por un inmueble simple en el barrio Catumbi, en la zona norte de Río. El edificio quedaba al pie de uno de los barrios carenciados del lugar.

— Excelente. Vamos a quedarnos con este, señor Vicente — aprobó Edir, agradeciendo la gentil acción del conocido de sus padres.

— Es lo más barato que tengo. Vas a lograr pagar el alquiler — respondió él, simpático.

No tuvimos necesidad de presentar un garante. El nuevo departamento no era exactamente el hogar en el que yo imaginaba vivir. Cuando mi hermana mayor, Elza Queiroz, fue a conocer el lugar, lloró.

— Caramba Ester, ¿realmente van a vivir aquí? Voy a quedarme tan preocupada. ¿No es posible un lugar mejor? — cuestionó, casi con desagrado, mientras me ayudaba a preparar el ajuar.

Nuestro padre siempre había tenido una condición de vida favorable, había ganado mucho dinero, pero pasó por un revés y perdió todo, como revelo en el capítulo siguiente de esta obra de mis memorias. Mis hermanos y yo vivimos buena parte de la infancia disfrutando de todo lo que hay de bueno y de mejor.

— Es lo que Edir puede pagar por ahora. Pero vamos a mejorar de vida pronto, hermana mía — le aseguré confiada.

Otra ventaja del barrio de Catumbi era que estaba cerca del trabajo de Edir, lo que le permitía gastar solo un pasaje de ómnibus para llegar. El ahorro de monedas hacía la diferencia a fin de mes. Para comprar los muebles, el mismo esfuerzo. Contábamos solo con los regalos de pocos amigos y parientes. Los muebles básicos, comprados con mucho sacrificio, como armarios, cama, sillón y heladera, fueron pagados por completo en efectivo gracias a sus ahorros. Además estaban los costos de las idas al curso de matemática de Edir en la UFF, la Universidad Federal Fluminense. Como el dinero era poco, pensábamos dos veces antes de desembolsar cualquier centavo en los preparativos de nuestro enlace.

El casamiento se acercaba como en una electrizante cuenta regresiva.

Simple, el vestido de novia fue hecho por mi propia tía. Mi madre acompañó todo de cerca, realizada por casar a su segunda hija. Edir y yo estábamos igualmente felices, a pesar de todos los obstáculos económicos.

Decidimos juntos cada detalle de la ceremonia. La semana del casamiento fue larga, parecía que no se terminaba. Ansiosa y agitada, viví mis últimos días de soltera hasta encontrar a Edir la noche del sábado, en el altar de la iglesia. Elegimos realizar la celebración en la Iglesia Nueva Vida de Bonsucesso, también en Río, y la fiesta, en un pequeño salón al fondo del templo. Mi familia quedó responsable por la torta y los bocaditos.

Pasé la tarde del sábado preparándome en el salón de belleza con mi cuñada. Tuve que cortarme el cabello para adecuarlo a la guirnalda, una sorpresa no muy agradable para Edir, fascinado por mi cabello largo. Después de estar lista, una acción sublime: ponerme el vestido de novia. Me miré al espejo y parecía no creer en que había llegado ese instante tan esperado. «Gracias, mi Dios. Gracias, mi Señor», agradecí, susurrando las palabras.

El buqué de flores ya estaba listo esperándome. Era necesario partir rumbo al encuentro del novio. El horario me preocupaba, no quería atrasarme bajo ninguna hipótesis.

—Si tardas, no me vas a encontrar en la iglesia —repetía Edir, jugando, pero con un fondo de seriedad.

Mi padre fue quien me condujo en su Landau de la época, hasta el salón de la iglesia Bonsucesso. La noche estaba deslumbrante. El cielo limpio.

Faltaban quince minutos para el comienzo del casamiento y yo ya esperaba dentro del auto, en la puerta de la iglesia. Esperé con anticipación, sentada en el asiento de atrás, solo mirando el movimiento por la ventana. Primero entraron los padrinos, después Edir con su madre y, finalmente, mi padre y yo. Permanecía inquieta con la adrenalina en alta solo de pensar que en esos momentos yo iba a ser el centro de la atención de los invitados. Pero me llené de coraje porque todo eso era la realización de un sueño anhelado. Los asientos estaban repletos de gente. Recibimos a más de trescientos invitados, en gran parte gente de nuestra familia y amigos de la iglesia.

Mi madre no contuvo las lágrimas al verme entrando. Al llegar delante del púlpito, mi padre soltó mi mano, me dio un suave beso en la frente y me entregó al novio. El pastor hizo una breve prédica. Enseguida, el compromiso de vivir conmigo para siempre fue dicho pausadamente por Edir. Yo también repetí las mismas palabras mirándolo a sus ojos. Las alianzas y el tan celebrado beso cerraron el ritual antes del abrazo de los padrinos.

El festejo continuó en el salón del fondo durante pocas horas. La fiesta terminó temprano, antes de las once de la noche, y nos fuimos a nuestro departamento para disfrutar de las nupcias antes de viajar de luna de miel a la ciudad minera de Caxambu, en la mañana del día siguiente.

Una escena de esa noche nunca más salió de mi memoria. Ocurrió cuando las puertas de la iglesia se abrieron, al son de la marcha nupcial, y di mis primeros pasos lentamente sobre la alfombra. Al ver el templo lleno, tuve una mezcla de timidez y una enorme alegría. El pasillo fue disminuyendo poco a poco.

Adelante del altar, una imagen fija en mi mente para marcar mi memoria: Edir me sonreía. Sereno, elegante en su traje y corbata, calmado de pie. La expresión de felicidad brillaba en su rostro. Una sonrisa inolvidable. Mi amado conmigo hasta el fin. Un amor para toda la vida.

«Yo soy de mi amado, y mi amado es mío.»

(Cantares 6:3)

CAPÍTULO 2

Mi regresar

Nuestra quiebra

El matrimonio con Edir fue un hito en mi trayectoria de vida. Pero mi historia comienza muchos años antes, en el encuentro entre una pianista y un comerciante fiel de una iglesia evangélica tradicional de São Cristóvão, barrio antiguo de Río de Janeiro. Ambos se enamoraron siendo jóvenes, se casaron rápidamente y tuvieron ocho hijos: cuatro parejitas. Yo fui la quinta en nacer. Bernardino Rangel Pires y Eunice Coelho Rangel, mi padre y mi madre, vivieron juntos durante 44 años y nos legaron muchas lecciones de carácter y de fe.

Mi abuelo materno era pastor de la Asamblea de Dios, nacido en Belém do Pará, de donde vino transferido a Río. En la comunidad en la que predicaba, le había enseñado a mi mamá a tocar el órgano durante los cultos, talento que, entre otros atributos, como la manera de ser dulce, los ojos oscuros y la belleza discreta, despertó la atención de mi papá. Don Rangel, como lo llamaban, había nacido en una familia rica de comerciantes y, desde joven, vivía con mucha prosperidad económica.

Al casarse, mi mamá se mudó de Río, a una hacienda en un barrio apartado del centro de Niterói, municipio en el que vivía y trabajaba mi papá. Fue su primer sacrificio por el matrimonio, dejar la metrópoli de los tranvías, de las calles colmadas y del agitado comercio para vivir en un lugar entonces prácticamente sin ninguna infraestructura, como transporte y calles asfaltadas. Recuerdo que los ómnibus pasaban pocas veces al día, con un horario fijo.

Aunque durante varios años siempre tuvimos el privilegio de tener automóvil, yo usaba el transporte público para llegar a la escuela. Ese registro es muy claro en mi memoria.

Aun perdiendo la comodidad de vivir en la gran ciudad, nunca oí a mi mamá quejarse por nada. Calmada y piadosa, mamá había nacido para servir a la familia. Era un ejemplo de esposa con vocación para edificar un hogar. El respeto irrestricto por el marido, la sabiduría para criar a los hijos y el celo por la casa marcaron su trayectoria. Por su parte, mi papá tenía otras características igualmente nobles: era dócil y con disposición a la bondad. Difícilmente lograba decirle que no a alguien. También era muy cariñoso, sensible y presente con los hijos. Dividía su rutina entre el trabajo duro y la familia, y se divertía mucho cuando estaba con nosotros.

En ambos, tanto en mi padre como en mi madre, con incontables ejemplos prácticos en nuestro día a día, estaba el temor por la Palabra de Dios, como la mayor riqueza entre sus ideales. Fue con ellos que aprendí a buscar en la Biblia las respuestas a mis indagaciones y a transformar la oración en una herramienta para vivir en intimidad con Dios. La fe nacida de la indignación, aquella capaz de incendiar nuestro interior, sacudir el Cielo y revolucionar una vida por entero, claro, solo la aprendí años después, cuando me casé con Edir, pero los principios de la fidelidad y de la obediencia bíblicas ya habían sido sembrados por mis padres y abuelos.

Yo nací el 1 de febrero de 1950, en la casa de mi abuelo materno en São Cristóvão, en Río, a pesar de vivir en Niterói, en un barrio llamado Vista Alegre, lugar en el que pasé mi infancia. Papá creía más seguro que mi mamá diera a luz en casa debido a la experiencia de mi abuela y de las propias parteras. Mi crianza estuvo rodeada por la enseñanza de buenas costumbres y por momentos de diversión. La casa siempre llena de niños, hermanos y primos en la hacienda del abuelo, corriendo entre los naranjales, zambulléndonos en el río y alimentando a los bichos. A pesar del miedo que les tenía a las vacas y al toro, son recuerdos deliciosos de mis primeros años.

Papá era quien comandaba la diversión con los niños. Paseábamos juntos por la playa, viajábamos al interior de Minas Gerais o a Nova Friburgo y a otras regiones serranas de Río. Los ocho hijos siempre salían juntos de vacaciones. Recuerdo, cierta vez, cuando mi padre apareció en casa con una camioneta nueva con diez lugares. Fue una fiesta, finalmente íbamos a poder viajar con más espacio y comodidad, sin aplastarnos uno al otro. Disfrutamos esa comodidad, por ejemplo, para visitar las fuentes de aguas danzantes en ciudades próximas a Niterói. Otra particularidad de nuestra familia era almorzar y cenar juntos. Los diez se sentaban a la mesa y, tras la oración de papá bendiciendo los alimentos, solo se levantaban cuando todos terminaban la comida.

Desde temprano, crecí apegada a Elza, mi hermana mayor. Estudiamos juntas durante varios años en escuelas públicas. Dinámica y proactiva, como mi padre, comandaba el orden en casa, organizaba los festejos de navidad y los cumpleaños y rodeaba a los más pequeños con espíritu de liderazgo.

Pero no todo era alegría y paz. Por más que mi familia estuviera bien estructurada, mis padres fueran los mejores del mundo y existiera una unión tremenda entre los hermanos, yo tenía conflictos interiores. Luchaba conmigo misma al encarar determinados pensamientos que pasaban por mi mente. Nadie nunca me había dicho que yo era el patito feo de la familia, pero así me sentía. Siempre me veía sin gracia, la «feíta», ni mi sobrenombre era de los mejores. Solían llamarme «Estercita, la bajita». Por más que todos esos complejos vinieran de mi interior, yo terminaba sintiendo un rechazo de parte de algunos familiares.

Como normalmente ocurre cuando se está en un grupo de personas, existen comentarios que generan comparaciones, y no fue diferente con mis hermanas y conmigo. Decían que una era la más bonita, otra la más inteligente, otra la que más hablaba, la más graciosa, la que se vestía mejor, la más simpática, la que dominaba más la atención de las visitas, la que conquistaba más amigas. Mis hermanas eran muy bonitas, y, en mi mente, se destacaban físicamente en todo con respecto a mí. Una tenía los ojos verdes iguales a los de mi papá. La otra, una linda cabellera castaña y larga. Y la otra, además, una altura admirable para una mujer. En el espejo, me veía como una niña apagada y una adolescente fea. Los parientes no ahorraban elogios hacia mis hermanas delante de mí.

— Caramba, ¡qué linda es ella! Qué ojos verdes espectaculares — decía una tía.

— ¡Vaya! Su cabello tiene un color miel maravilloso — comentaba otra tía.

— ¡Qué alta y bonita eres! Inteligente y tan educada y hacendosa— codeaba una prima.

Todo el tiempo en mi presencia y sin ninguna palabra dirigida hacia mí. Yo era siempre una niña olvidada a la hora de los elogios. Ninguna de mis hermanas siguió el temperamento sosegado de mi mamá, solo yo. Todas son desinhibidas, conversan mucho, toman iniciativas, no se retraen por nada. Yo crecí como la única mujer introvertida, de pocas palabras, contenida en mis actitudes, discreta todo el tiempo.

Esas características hicieron que me anulara fácilmente. Nunca fui de exhibirme o de disputar la atención de aquellos con los que convivo y, por eso, casi siempre terminaba disminuida.

No sentía celos de mis hermanas, obviamente, las amaba y amo a cada una de ellas, pero, era natural que una joven de tan poca edad sufriera por esas comparaciones. El resultado fue que me transformé en una jovencita aún más tímida y callada, realmente reprimida, alimentando el miedo de hablar. No me sentía segura para decir lo que pensaba, mucho menos para expresar mis sentimientos. Pensaba que nada en mí estaba bien. Me cerré y eso me trabó mucho durante un buen período. Y, así, jamás sobresalí.

Hoy veo cómo Dios necesitaba elegir justamente a una mujer así, que no se destacara y reservada, para unirse a Edir y formar un matrimonio usado por Él. El Espíritu Santo buscaba a una mujer que no disputara la atención al lado del hombre que Él estaba preparando para usar tanto por todo el mundo. Una mujer que hubiera tenido sus propias batallas interiores para entonces ayudar a tantas otras que pasan por los mismos complejos. Una mujer que usaría su serena forma de ser para calmar la manera de ser ardiente de su marido. Una mujer cuyo objetivo mayor sería hacer la Obra de Dios en este mundo.

Edir me ayudó mucho a vencer los complejos que cargaba desde la infancia. Sus opiniones positivas respecto a mí y sus elogios constantes ayudaron a que me levantara día tras día. Conforme la edad fue avanzando, gradualmente adquirí seguridad y autoconfianza. Mi madurez espiritual me enseñó, sobre todo, a que no me importaran las opiniones ajenas. Aprendí a no dejarme influenciar por nada y a reaccionar mentalmente frente a una palabra negativa. Por otro lado, absorbí un aprendizaje valioso para poner en práctica en mi trabajo espiritual en la Iglesia, en los días de hoy, en la orientación a madres e hijas.

La mayoría de las veces, sin notarlo, mucha gente hiere a un menor o a un adolescente al expresar comparaciones entre ellos. Lo que puede parecer un inofensivo comentario es capaz de provocar un complejo interior. Generalmente eso se agrava cuando sale de la boca de familiares o seres queridos, personas amadas y admiradas por el niño. La autoestima de una personalidad en formación es alcanzada de lleno. Ni bien es disminuido por una comparación, el niño comienza a creer en aquel supuesto defecto como una verdad absoluta, lo que puede afectar a un desarrollo saludable.

Admito que cargué parte de esos traumas en las varias fallas que cometí en la crianza de mis hijas, papel que asumo en el capítulo «Frente a mis errores».

Excepto los conflictos interiores, los recuerdos de la infancia y el inicio de la adolescencia son de una fase relativamente buena.

El nacimiento de toda la familia en una cuna cristiana generó un ambiente de armonía. Recuerdo que me despertaba con canciones instrumentales e himnos con melodías suaves de la Radio Copacabana que, más tarde, se transformaría en la primera emisora de la Iglesia Universal del Reino de Dios.

— Bendición, papá — yo le pedía, siempre antes de dormir, y él se dedicaba a bendecirme.

Él también apreciaba leer textos bíblicos y obras espirituales, compartiendo el conocimiento con toda la familia, los amigos o incluso con quien conocía por primera vez. Dedicado a la Iglesia, se convirtió en presbítero por un largo período, practicando diversas acciones de solidaridad, como patrocinar la reforma completa del templo que frecuentábamos. En Navidad, presentábamos piezas de teatro con temas cristianos y, los miércoles y domingos, frecuentábamos las reuniones.

Yo crecí aprendiendo con profundidad los preceptos de la fe y la importancia del bautismo del Espíritu Santo. Mi abuela, por parte de papá, explicaba, con detalles, el real sentido de creer en la Tercera Persona de la Santísima Trinidad como el único y verdadero Dios. Y llegaba a organizar en su casa una oración colectiva con todos los nietos.

— Todos de rodillas ahora. Vamos a buscar al Espíritu de Dios — pedía, antes de iniciar la oración.

Al igual que yo, la mayoría de mis primos no llegaban a los diez años y tampoco sabían bien quién era el Espíritu Santo. Aun así, yo pedía con todas mis fuerzas.

— ¡Jesús! ¡Yo quiero el Espíritu Santo!

Lo que aparentemente podría parecer tontería o fanatismo representó las semillas de temor a Dios y dependencia de Él para vivir, lanzadas dentro de nuestro interior. Los frutos surgieron con el pasar de la edad.

Al mismo tiempo, no obstante, la doctrina de aquella iglesia tradicional comenzó a provocar una resistencia previsible en mis hermanos mayores al alcanzar la adolescencia. A las jóvenes llegaban a prohibirles que se cortaran el cabello o se pintaran las uñas. Los varones criticaban el fanatismo de algunos integrantes de esa iglesia, y tenían vergüenza. Además de eso, no podían usar el cabello más largo como los jóvenes de la época. Durante una excursión escolar, en el comienzo de la juventud, cuando fui por primera vez al cine — otra práctica censurada por la iglesia — sentí la consciencia pesada. En el transcurso de la película, yo repetía bajito:

—Jesús, perdóname. Si Tú vuelves hoy, llévame. Por favor, perdóname.

No le quedó otra opción a mi padre. Más preocupado por mantener a los hijos en el camino de la fe que como meros miembros de una denominación o perdidos lejos de Dios, decidió cambiarse a la Iglesia Nueva Vida. Allí no existían restricciones como tampoco ninguna patrulla de comportamiento. Aún un poco contrariado y enfrentando la oposición de los parientes, mi papá siguió firme en el cambio con el único objetivo de que los hijos fueran encaminados al Señor. Yo había cumplido trece años.

Este fue el principio de una de las etapas más espinosas vividas por nuestra familia. Negociante de éxito, papá era el dueño de varios comercios en Río de Janeiro con diferentes áreas de actuación: él poseía tiendas de ropa, depósitos de materiales para la construcción y un puesto de gasolina. El don había sido heredado del papá, también un empresario de éxito. Aun habiendo estudiado solo hasta el nivel primario, sin un diploma universitario, mi papá sabía ganar dinero con el arte de la venta. Flexible, hábil en la conversación y siempre muy simpático, conquistaba clientela en todos los negocios que emprendía y, de esa forma, acumulaba inmuebles y otros bienes.

La abundancia reinó un poco más de dos décadas. No faltaba nada, sobraban opciones de alimentos en la alacena y en la heladera. Aun siendo ocho hermanos siempre nos regalaban los juguetes de moda y ropa de primera línea. Nuestra casa fue la primera en el barrio en tener televisión, un lujo para la época. Los viajes a fin de año se hacían sin fallar, aprovechando buenos hoteles y restaurantes. Alcancé la adolescencia habituada a disfrutar mucho confort. Mi papá se sentía contento y victorioso al ofrecerle lo mejor a su familia.

De repente, comencé a observarlo ensimismado, distante, un tanto inquieto. No se parecía en nada al Rangel conocido por los hijos. Una preocupación intensa parecía abatirlo. Cierta noche, en la mesa, contó abiertamente el motivo de la agonía que estaba atravesando.

— Hice un negocio totalmente errado. Firmé la compra de una empresa de transportes sin consultarlo con los abogados. Ahora, descubrí que la empresa está quebrada, llena de deudas altísimas. Y voy a ser obligado a pagar esa cuenta — se desahogó, con tono triste.

Allí comenzó nuestra ruina económica. Perdimos todo de un momento a otro. Los acreedores se llevaron casas, terrenos, comercios, vehículo. Todo desapareció en un abrir y cerrar de ojos. La comida comenzó a ser controlada para que no faltara. Mi mamá se vio obligada a hacer las compras para tantos hijos con el dinero contado. En este período de quiebra, dos hermanos ya se habían casado, pero aún restaban seis jóvenes para sustentar. Los paseos terminaron. Nuestra vida se resumía a las idas a la iglesia y a la convivencia dentro de casa. Todos sintieron la caída.

Llegó un tiempo en el que no teníamos ni siquiera donde vivir. Papá decidió recomenzar, empezar de cero en otro barrio de Río. Con mucho sudor montó una pequeña tienda con un depósito en el terreno del fondo, donde vivía toda la familia. Poco a poco, con innumerables dificultades, batallaba para volverse a levantar. En medio de todo ese sufrimiento, a los diecisiete años enfrenté una fase de muchas enfermedades. El médico me diagnosticó niveles elevados de colesterol y de azúcar en sangre, un fenómeno raro para alguien de mi edad.

El susto debido a nuestra ruina fue especialmente doloroso para mí. Una espléndida fiesta de 15 años era un sueño para cualquier jovencita de aquella generación y yo había imaginado ese deseo durante años. Caía la tarde, y mi papá me llamó para conversar a solas en el sofá de la sala. Lleno de ternura, pero al mismo tiempo debilitado, me sentó sobre sus piernas, respiró profundo antes de decir que tenía algo para contarme.

— Hija mía, escucha bien. Yo tenía muchas ganas de hacer una hermosa fiesta de quince años para ti. Mi amor, tú mereces mucho más, pero papá no tiene condiciones ahora porque hizo una tontería enorme — confesó, con una sinceridad vergonzosa.

— Perdóname hija. Papá se equivocó — añadió, ya sin contener las lágrimas.

Fue la primera vez en la vida que lo vi llorar.

La escena fue muy significativa para mí. No pasaba por mi mente quejarme de algo, yo no tenía coraje para eso. La fiesta de quince años demoró un poco, pero se hizo igual y de una forma muy simple. Celebramos la fecha en mayo, tres meses después de mi cumpleaños, en una reunión de primos y amigas del colegio en nuestra propia casa. Mamá conversaba mucho conmigo, aconsejándome que tuviera paciencia y compresión con el momento difícil enfrentado por mi padre.

— No le pidas nada, hija. Deja que tu papá tenga paz para encontrarle una salida a nuestra situación. Vamos a orar, hija. Dios va a mostrarnos una solución— orientaba ella, siempre llena de mansedumbre.

La oración era su mayor arma.

«Alzaré mis ojos a los montes;
¿de dónde vendrá mi socorro? Mi socorro viene
del Señor, que hizo los cielos y la Tierra.»

(Salmos 121:1,2)

La pérdida de mis padres

—¡Ven corriendo que tu papá se desmayó! Voy a llamar a la ambulancia. ¡Corre! ¡Corre!

La llamada telefónica desesperada de mi mamá a una de mis hermanas ocurrió a comienzos de 1986, cuando papá sufrió un infarto dentro de casa. Tuvo un malestar súbito, dolores agudos e inmediatamente quedó inconsciente. El auxilio de la atención de emergencia lo hizo despertar. Ni bien fue ingresado al hospital, ya estaba lúcido al ser medicado, y rápidamente terminó siendo internado.

Fueron quince días seguidos en la habitación del centro de tratamiento intensivo del Hospital Beneficência Portuguesa, en Río. Su estado de salud parecía evolucionar bien. Mis hermanos y yo nos turnábamos las 24 horas al borde de su lecho, auxiliándolo a la hora de levantarlo de la cama para alimentarse o llevarlo al baño por la madrugada. Permanecí en el hospital a su lado. Algunas veces, cuando estábamos solamente él y yo, mi papá aprovechaba para intercambiar confidencias conmigo.

Él giraba su rostro hacia mí, mientras yo lo observaba sentada en la silla de visitas.

— Ah, mi hija. Yo hubiera querido darte tanto a ti. Papá perdió tanto dinero. Yo podría haber hecho mucho más por ti — reflexionaba, condolido, mientras el suero y los remedios goteaban en sus venas.

— Papá, eso ya pasó. Lo importante es que usted está bien — le respondía, con el intento de tranquilizarlo.

Animado, confiaba en su recuperación:

— Yo voy a salir de aquí, hija mía. Yo voy a trabajar más en la Iglesia, voy a ayudar a Edir.

Mi papá se mantuvo durante un tiempo como miembro de la Iglesia Nueva Vida, pero también frecuentaba la Asamblea de Dios para estar cerca de sus hermanos. Lo que a Él realmente le gustaba era ir a los cultos de Edir en la Universal. Les afirmaba a todos que era un admirador confeso de nuestro trabajo de recuperación de vidas.

A pesar de estar enfermo y con dolores, papá preguntaba todo el tiempo por mi mamá.

— ¿Y ella? ¿Cómo está, hija mía? Estoy preocupado por tu mamá, sola, en la casa.

— Está todo bien, papá. Mis hermanas están con ella. Calma, usted necesita descansar.

Papá era sumamente dependiente y apegado a mi mamá al igual que mis abuelos paternos. Mis hermanas y yo vivíamos con placer y respeto el reconocimiento de la figura de papá como jefe de la familia. Yo recuerdo, por ejemplo, durante las comidas, que los hijos solo podían servirse después de que papá, primero, se sirviera su plato. Siempre admiré mucho ese tipo de relación. Fue de ellos que recibí la influencia para ejercer mi papel de esposa.

Aún en el hospital, sin saber que estaba viviendo sus últimos días, mi papá demostraba su cuidado con la esposa. Después de una nueva batería de diagnósticos, los médicos se animaron con su gradual mejoría. Y concluyeron en la necesidad de que se realizara un cateterismo, procedimiento para desobstruir las arterias del corazón. Mi hermana y mi cuñado, también médicos, seguían el tratamiento de cerca. Para efectuar la técnica, era necesaria la anestesia general. Papá fue consciente hacia la mesa de cirugía y no volvió más. Entró en coma durante la operación. Yo estaba en el hospital al recibir la triste noticia. Edir parecía desorientado cuando lo llamé para llorar la pérdida.

Mi papá murió en junio de 1986, a los 66 años. Fue enterrado exactamente el mismo día de su cumpleaños.

Tres meses después, Edir y yo nos mudamos con nuestros hijos a Nueva York, con la misión de predicar el Evangelio en Estados Unidos. La distancia de Brasil me ponía tensa respecto a la situación de mi madre, ahora viuda y sin su gran compañero de vida. Fue difícil para mí. A veces, lloraba a escondidas para no preocupar a Edir. Extrañaba mucho a mi papá.

Con el pasar de los días, mi mamá se fue a vivir al mismo edificio en Río con otras tres hermanas. Eso me dio un enorme sosiego a mí y felicidad a ella. Aprendí mucho de los ejemplos de mi mamá. Admiraba su manera calma de vivir, de no ser chismosa y jamás hablar mal de alguien, inclusive de su propio marido, aun cuando él mereciera represión o crítica. Eso me enseñó a ser una esposa mejor, más sabia, ya después de casada. Cierta vez, enojada por una reacción de Edir, fui a quejarme con ella.

— Caramba, mamá. Edir no entiende...

Ella me cortó al instante. Interrumpió lo que iba a decir y, tomando la palabra, solemnemente me advirtió:

— Hija mía, no hables así. Presta atención: ¡nunca hables mal de tu marido!

Y mamá completó el reto:

— Tú debes ponerte en su lugar. Él es bueno, fiel y te ama.

Aprendizajes excepcionales. Eso me enseñaría en el futuro a ser un cimiento inquebrantable para Edir en los momentos en que enfrentamos los más terribles e injustos ataques, resultados del crecimiento de la Iglesia y de la compra de TV Record.

Ya más recientemente, mi mamá desarrolló una enfermedad que borró lenta y cruelmente su memoria. A los 93 años, muy cansada y viviendo en cama, no reconocía a mucha gente de la familia. La última vez que se acordó de mí fue a principios de 2015.

— Qué lindo tu vestido, hija. Te queda bien ese color — me elogió, cariñosa.

Preguntó sobre Edir y los niños. Fue ella quien cuidó a mi hija Cristiane, desde los tres meses hasta el año de edad, cuando necesité trabajar, al comienzo del matrimonio. Ella llamaba a su nieta «cosa linda de la abuela». Las dos fueron muy apegadas.

— Mira quién está aquí, mamá: la cosa linda de la abuela.

Ella abrió los ojos con dificultad y sonrió. Fue la última vez que reconoció a Cristiane. Después de ese día no nos recordaba a ninguna de las dos. Volvimos varias veces seguidas con la esperanza de intercambiar solo una palabra con ella, pero no fue posible. Cuando le hablábamos, era como si no hubiese nadie frente a ella.

Durante la realización de este libro, el 28 de abril de 2016, mi madre no resistió la enfermedad y falleció. Justamente en el período en el que me sumergí en el túnel del tiempo para recordar instantes tan inolvidables a su lado y cuando me vinieron a la memoria, tal vez más que nunca, el tamaño de su importancia en mi vida, lo mucho que me ayudó a transformarme en quien soy hoy. Yo estaba en el Templo de Salomón, en San Pablo, cuando recibí la noticia. Cristiane, preparándose para una conferencia en Río de Janeiro, curiosamente, iba a ir a visitarla al hospital al siguiente día. No dio el tiempo.

— Yo no me puse triste. Las lágrimas vinieron, pero eran de añoranza— escribió Cris, en su blog.

El texto fue un homenaje por todo lo que mi madre representó para ella.

— Mi abuela fue una mujer dulce, tierna, mansa, discreta, cariñosa, y muy temerosa de Dios. Yo nunca la vi quejarse, murmurar, hablar mal de los demás, ni criticar. Ella era tranquila, no le gustaba el frío y hablaba poco. Yo fui una nieta bendecida por tenerla en mi vida. Creo que todos sus nietos pueden decir lo mismo.

Yo viajé con Edir el mismo día al velatorio. Me reencontré con mis hermanos, primos y demás parientes, muchos de los cuales no veía hacía varios años. Aún tristes por la pérdida, creemos que ella está mucho mejor ahora. Durante la ceremonia, mi marido realizó una breve oración de consuelo para nuestros familiares:

— Mi Dios, yo Te pido el consuelo para cada ser querido de la señora Eunice. Gracias por haberla usado para darme una esposa tan idónea, fiel al Señor.

Pasé la mayor parte del velatorio en silencio, con los brazos muy entrelazados a mi marido. Discreta y compañera, como mi mamá permaneció la vida entera.

Ceder: una dura misión

Hasta hoy tengo placer en rever las fotos de mi álbum de casamiento. Casi medio siglo después es posible recordar la sensación de felicidad de aquel momento. La oportunidad de rememorar nuestros votos y la promesa de estar unidos en la salud o en la enfermedad, en la alegría o en la tristeza, juntos en todas las circunstancias, por toda la vida. La alegría de la realización del sueño de comenzar una nueva jornada al lado de la persona amada, me hizo salir radiante de la ceremonia, feliz como nunca.

Pero el casamiento de verdad comenzaría a partir de allí.

No tenía la noción exacta de su significado, pero sabía que enfrentaría una nueva fase de experiencias en mi vida. Como todos los matrimonios, mi unión real con Edir sucedió mucho más allá del entusiasmo del vestido de novia, de la decoración de la iglesia o de la fiesta. Tampoco fue el romance que vivimos en la luna de miel. Nuestro matrimonio comenzó de hecho, cuando llegamos a casa y tuvimos que mirarnos uno al otro, confrontar nuestras personalidades, nuestros hábitos y defectos.

Era hora de encarar las luchas.

Si hubiera una escena capaz de reproducir con precisión mi relación con Edir a lo largo de las décadas, tal vez sería la de un hombre de actitud, con fe, enérgico, intenso, por momentos agresivo al hablar, y una mujer todo el tiempo intentando apaciguarlo, serena, silenciosa, mansa. No es que yo sea una superesposa para soportar todo eso. Creo que mucha gente tiene ese pensamiento al verme en la posición en la que hoy estoy, como «la esposa del obispo Macedo», pero están completamente equivocados. Tengo consciencia de que no llego ni cerca de la perfección. No fue fácil ceder para adaptarme a mi marido escogido por Dios.

Soy una mujer sensible, lo admito. Más allá de la naturaleza femenina que refuerza en mí ese temperamento, tengo esa característica desde niña. Un día, recientemente, en la fila de la caja de un supermercado de Estados Unidos, me agaché para agarrar una fruta que se resbaló del volumen de la compra de una señora que estaba frente a mí.

— ¡No ponga sus manos en mi fruta! ¿Nunca nadie le ha dicho eso? ¿Cómo es capaz de agarrar mi fruta con su mano? — gritó la mujer, indignada, frente a todos.

Yo nunca había visto, mucho menos vivido, una situación semejante. Algunos americanos y europeos realmente tienen ese hábito como una forma de preservar la higiene de las frutas, pero yo simplemente había intentado practicar un acto de gentileza, en el ímpetu de ayudarla. Para mi sorpresa, la empleada de la caja le hizo coro al enojo de la cliente airada.

— ¿Cómo hace eso señora? ¡La fruta es de ella! Nadie puede tocar la fruta que ella separó. ¿No sabe usted eso? — me gritó.

Avergonzada, apenas me disculpé. Y en el camino a casa, no logré dejar de llorar.

El lector se puede estar preguntando: pero ¿cómo es posible que una mujer que ya pasó tantas persecuciones al lado de su marido, llore por un malentendido tan insignificante como ese? Sí, ya pasé por muchas humillaciones en la vida, pero insisto en no acostumbrarme a ellas. Todavía confío que hacer el bien es la mejor respuesta al mal ajeno. Y, sinceramente, esa postura no es nada popular en los días actuales. El día que usted se acostumbre al mal de los demás, va a terminar volviéndose igual a ellos.

Aquel día me sentí agredida. No porque sea una mujer de fe soy de hierro.

En uno de los encuentros con obispos responsables de la Universal en varios países, hace algunos años, tuve un malentendido serio con Edir que me afectó como nunca antes, imagino que por estar viviendo la fase de la menopausia en esa época. Caminábamos por las calles de Vancouver, en Canadá, junto a otros nueve matrimonios en dirección a un restaurante para cenar. Mi marido, sin darse cuenta, se fue más adelante con otros dos obispos y, entusiasmado con las orientaciones espirituales que compartía, me dejó atrás, sola. Yo encima estaba con tacos altos, lo que aumentaba aún más la lentitud de mis pasos. Olvidándose de mí, Edir y los demás matrimonios se apresuraron, tomando por una y por otra calle, hasta que perdí de vista al grupo. Me sentí completamente perdida en aquella ciudad desconocida, sin celular, sin el contacto de nadie, e inmediatamente me tragué el llanto.

Si no hubiera sido por una de las esposas que regresó para encontrarme, no sé qué hubiera sido de mí. Al llegar al restaurante, avergonzado, Edir me preguntó:

— ¿Dónde estabas Ester? ¿Qué sucedió?

Fue entonces que aquel llanto que había tragado salió desde adentro, al punto de sollozar. Todos a mi alrededor se sorprendieron, incluso los obispos que nunca me habían visto hacer eso. Edir no sabía qué hacer para calmarme, me pidió disculpas varias veces y, aun así, yo no logré contener la profunda tristeza de saber que había sido dejada atrás. La comida no descendió de ninguna manera, parecía haberse trabado en la garganta. Al volver de la comida, continué llorando de enojo. Aquella misma noche, ya que había abierto los portones del control emocional, aproveché para desahogarme sobre nuestras discusiones por el aire acondicionado. Por sufrir crisis de calor, yo necesitaba ambientes más fríos, lo que inmediatamente provocaba incomodidad y nervosismo en él. Sé que la mayoría de los hombres, claro, no logra comprender los efectos de la menopausia en el comportamiento de una mujer, pero me puse triste por la falta de atención de Edir cuando estábamos caminando. Eso solo demuestra que somos un matrimonio imperfecto como cualquier otro, sujeto a las mismas fallas y dificultades.

Todo eso ocurrió hace menos de diez años, imagínese, entonces, cómo fue mi lucha al principio del matrimonio. Yo tuve que aprender a sacrificarme por nuestra unión.

Edir ya me conoce bien. Si no me gusta algo, generalmente me quedo en silencio. No sé discutir. Raramente entro en una discusión con alguien. Cuando tengo una conversación más tensa con mi marido, inmediatamente mi rostro se enrojece. Es señal de que estoy irritada, con los nervios a flor de piel. Aguanto prácticamente todo callada. Si exploto es porque realmente la situación se fue muy, muy fuera de control.

Yo también ya conozco bien a Edir. Siempre, después de un desacuerdo conmigo, él se siente muy mal. Noto eso en sus actitudes. Al darse cuenta de su reacción sin límites, comienza a cercarme todo el tiempo intentando agradarme. Mi marido sabe cuándo excede sus límites.

Nada fue un mar de rosas al comienzo de mi vida de casada. En general, esa no es una fase simple. Es un ajuste entre dos personas que piensan de formas diferentes, con perfiles casi siempre opuestos. Nuestras infantilidades, ajuste de gustos, interferencias de la familia, entre otros aspectos, contribuyeron a ese nivel de turbulencias.

Al principio, por ejemplo, yo me sentía triste cuando Edir se quejaba de algo en la casa, por eso, me esforzaba para dejar todo muy bien. Todo el departamento tenía que estar muy limpio. En una de las habitaciones adaptada como oficina, él cuenta que tiraba borradores de papel arrugado detrás de la puerta solo para testear mi asiduidad en la limpieza. Yo me adelantaba a recoger los papeles. En el baño, él se enojaba con mi pelo en el cepillo.

— Ester, ¿ya has limpiado el cepillo? — preguntaba, bien temprano, al levantarse.

Tengo hasta hoy la costumbre de sacarle el pelo al cepillo. La ropa tenía que estar impecable. Mi suegra también verificaba de cerca si estaba todo en orden.

— Déjame que vea si las camisas de Didi están bien planchadas — me pedía la señora Geninha, al visitar nuestra habitación.

Todo era novedad para mí. Yo no ejercía esas tareas cuando vivía con mis padres, aunque mi mamá nos había enseñado cada una de ellas, con detalles. Fui criada con el privilegio de contar con una empleada doméstica. No metía las manos en eso.

Comenzar la vida con Edir sin las condiciones económicas ideales tampoco fue fácil. Tuve que adaptarme a un nuevo modo de vida, con restricciones y ahorros. Mi familia, en general, tal vez, había imaginado para mí un matrimonio en el que recuperara la comodidad y los privilegios que había podido proporcionarnos el dinero durante mucho tiempo.

Inclusive, mi situación económica empeoró después del matrimonio. Casa, muebles, comida, ropa, lugares para pasear. Todo se volvió aún más limitado incluso en comparación con los tiempos de privaciones de cuando vivía con mis padres. Si lo comparara con el período en el que la abundancia reinaba en mi casa, sería más o menos como el cuento de la princesa que se convirtió en plebeya.

La realidad es que yo había elegido a un marido que no tenía mucho que «ofrecer». Empleado público, salario reducido, sin apellido de gente rica, de familia de clase media, sin bienes ni inmuebles. Y eso me llevó a hacer varios sacrificios al lado de Edir. Por ejemplo, cambiamos de residencia varias veces con el correr de los años, batallando a todo momento para cubrir las cuentas. En el mes en que Edir pagaba el departamento, se atrasaba en la financiación del auto, y viceversa. Una de las cuotas siempre se atrasaba.

Para poder sustentar la casa, mi marido tenía dos empleos: trabajaba en Loterj y, como investigador, en el IBGE, el Instituto

Brasileño de Geografía y Estadística. Además cursaba la facultad a la noche para intentar mejorar de cargo y salario. Inclusive haciendo horas extras, nuestra situación se mantenía muy complicada. El dinero no era suficiente. No conseguíamos ni siquiera comprar todos los muebles de la casa. Para conseguir un televisor tuvimos que hacernos cargo de un plan de largas cuotas en la tienda «El Baúl de la Felicidad». Adquirimos el pequeño aparato de trece pulgadas mediante una deuda de treinta y seis pagos. Solamente después de un mes de casada logré comprar mi primera máquina para lavar ropa. Vivíamos al límite.

Edir siempre fue sumamente responsable con sus pagos, no admitía deberle nada a nadie. Ni bien volvimos del viaje de nupcias, una de sus primeras actitudes fue hacerme una alerta:

— Ester, ahora no podrás ver a tu mamá todos los días. El dinero del pasaje solo alcanza para el trabajo. Y tenemos que reservar para ir a la iglesia los domingos.

Nuestro primer departamento en Catumbi, el que estaba al pie de la comunidad local, era muy simple, solo tenía realmente lo necesario, pero buscaba mantenerlo muy limpito y perfumado. Tenía ganas de comprar flores para decorar y perfumar los ambientes, pero no podía ni pensar en un gasto como ese. Lijé a mano el viejo piso de madera para economizar en la restauración con revestimiento. Usé un cuchillo durante días para intentar mejorar la apariencia del piso, exigiéndole a mi cuerpo de un lado a otro. Además de vivir en una región precaria en esa época, tuve que cambiar algunos de mis hábitos de consumo.

En los primeros meses de casados, el departamento ya comenzaba a incomodarnos. Un día, una noche de viernes para sábado, la cañería se desbordó. Y junto a la suciedad vinieron las cucarachas. Ese día descubrí que mi marido le tiene pánico a ese tipo de insecto.

Al llegar del trabajo, Edir se trastornó.

— No vamos a quedarnos en este departamento de ninguna manera. Voy a entregarlo antes de que venza el contrato. Está decidido. Le pregunté a tu papá si podemos quedarnos en su casa hasta encontrar otro.

Después de ocho meses en Catumbi, nos mudamos a la residencia de mis padres ubicada en barrio Jardim América, en Río. Dormíamos improvisadamente en la habitación que había pertenecido a mi hermano, ya casado. Tuvimos que adaptarnos con dos camas de solteros. Nuestros pocos muebles nuevos fueron amontonados en el depósito de materiales de construcción de mi papá, en el mismo espacio donde se guardaban arena, piedras y ladrillos. Muchas cosas terminaron arruinadas. Para llegar al trabajo, en el centro de la ciudad, a Edir le llevaba, al menos, una hora de recorrido de ómnibus, lo que me impedía estar más cerca de él diariamente. Aún no habíamos comprado un automóvil.

Los mosquitos tampoco daban tregua en aquella región calurosa de la ciudad. Toda la casa era invadida por mosquitos que no nos daban un minuto de sosiego. No había privacidad para la vida de recién casados. La puerta de nuestro cuarto estaba muy pegada a la pared donde estaba el televisor de la sala. Mi papá pasaba horas mirando los más variados tipos de programas hasta muy tarde en la noche, muchas veces riéndose sin parar. Era prácticamente imposible descansar mientras hubiera gente en la sala. No veíamos la hora de mudarnos a un lugar solo nuestro, por eso, comencé a trabajar en un comercio de mi tío para ayudar en el alquiler de nuestra próxima casa.

Mientras me dedicaba al trabajo, por momentos, era atormentada por el miedo de no lograr pagar las cuentas y vivir en una situación aún más difícil. Siempre que observaba a mi marido preocupado por las deudas, automáticamente terminaba asumiendo esa preocupación también, aunque sin conversar sobre el tema. ¿Cómo no ser afectada por tanta inseguridad cuando falta el dinero a fin de mes? ¿Qué íbamos a hacer si Edir no lograba pagar el alquiler de una nueva casa? ¿Vivir de favor con mis padres por más tiempo? ¿Debería asumir un trabajo definitivo para ayudar con la renta de la casa? ¿Y si él no lograba una promoción, un reajuste de salario y se paralizaba en su carrera durante años? ¿Viviríamos apretados durante los siguientes años? ¿Soportaría yo la vergüenza frente a mi familia? ¿Debía conformarme con una vida limitada?

Un día, en medio de una discusión, disgustada por el genio explosivo de mi marido, luchando contra nuestras necesidades, perdí la paciencia y dije sin pensar:

— Mira, Edir, tú eres muy obstinado. Yo no aguanto más. Y si continúas de esa manera nos vamos a separar.

Al instante, él me interrumpió:

— Nunca más repitas esa palabra. Aquí, en casa, esa palabra ¡está prohibida! ¡Aquí no existe eso!

Él cortó aquella conversación al instante por una razón muy simple: nosotros creemos en la alianza firmada en el Altar, en el acto del casamiento. Esa es nuestra fe. Se trata de usar la convicción inteligente, la certeza absoluta para que la unión permanezca y se perpetúe. El amor que viene de la fe jamás acaba, por más complicadas que sean las luchas y los problemas.

El lector debe estar preguntándose cómo hice, entonces, para soportar momentos tan espinosos durante los primeros años de casada. Las respuestas reveladas a continuación, fueron descubrimientos a lo largo del tiempo.

Mujeres habladoras

No es una receta establecida, sino que son caminos que busqué en medio de mis batallas como esposa. Prácticamente todo actual proyecto espiritual de la Universal, dedicado a las mujeres, tiene como fundamento principal las experiencias que viví durante los años de casada. No fue y no es simple, como en un pase de magia. Exige sacrificio, entrega, amor, confianza y lo más importante: relación con Dios.

Desde nuestra fase de adaptación, yo tenía como objetivo hacer a mi marido feliz. Aguardaba a que Edir regresara del trabajo o de la facultad con alegría, con comprensión, con un abrazo, a pesar de las reacciones motivadas por su fuerte temperamento. En los días en los que explotaba, recuerdo claramente cuán duro era eso. Aun así me esforzaba para crear un ambiente de paz.

Intenté mantenerme como una esposa admiradora, la misma que se encantaba con todo lo que Edir hacía cuando éramos novios. Comprendía que las pequeñas actitudes harían una gran diferencia, mientras hubiera cariño. Arreglar la ropa, preparar la comida de su preferencia, dejar las sábanas de la cama perfumadas, mantener siempre la casa impecable. Me dedicaba a demostrarle que siempre pensaba en él con amor. Mi razonamiento era claro: cuando estaba soltera, le pedía un marido a Dios y Él me lo había dado. Con el pasar del tiempo, no podía dejar de valorar lo que Dios había hecho en mi vida, incluso en medio a las tempestades.

Cuando golpeaban las dudas y el sufrimiento debido a nuestras primeras crisis económicas, buscaba valorar lo poco que teníamos.

La encantadora sonrisa
de Edir: un recuerdo para
siempre en mi memoria.

Mi padre fue quien me
condujo en su auto de la
época hacia la iglesia en
Bonsucesso, en Río de
Janeiro. La noche estaba
deslumbrante.

Después de la ceremonia, una conmemoración simple en el fondo de la iglesia con pastel y refrescos para nuestros invitados. Todo hecho con mucho amor.

Un beso apasionado cuando
estábamos de novios y nuestra
luna de miel en la ciudad balnearia
de Caxambu, en Minas Gerais.

Además de marido, Edir
es mi pastor. En 1977 lo
acompañé en la consagración
a pastor, en la Iglesia de
Abolição pequeña, y en 1980,
en su consagración como
obispo, en el templo mayor
de Abolição.

Alquilar el Gimnasio del Olaria fue el primer paso para las grandes concentraciones de fe de la Universal. Ese día, Viviane sufría con una infección grave en la boca. Preocupado, pero repleto de convicción, Edir siguió en su propósito mientras yo cuidé a nuestra hija. Abajo, en el estadio del Maracaná, en 1986, poco antes de mudarnos a Nueva York.

Un momento de alivio después de la prisión: apenas dejamos la delegación policial, Edir y yo volvimos directo a la misma iglesia de donde salimos minutos antes de ser lanzado tras las rejas.

Instantes de descanso y cariño con mi
marido, como en el viaje que hicimos a
Israel, y en medio de las flores, en Lisboa.

Estamos casados, somos amigos, somos amantes. Estamos siempre juntos, veinticuatro horas por día, todos los días.

En Londres, siempre juntos. Amar es considerar lo que es justo. Uno respeta la voluntad del otro. Así, vivimos bien para el resto de la vida. Ese es el amor que viene de la fe.

Edir demuestra afecto con
su propia manera de ser.
Vivimos de una manera
simple y muy casera en una
de nuestras casas, el Templo
de Salomón, en San Pablo.

Mi marido pasa el día concentrado en su oficina, grabando programas de radio y meditando en la Palabra de Dios. Una de mis atribuciones es mantener el silencio en casa.

Mi familia reunida en nuestro aniversario de 44 años de casamiento en diciembre de 2015. En momentos de alegría con Edir y Cristiane y con mis nietos, Vera y Louis.

Yo puedo hablar de familia. Soy esposa, madre y abuela. Aprendí con mis errores, soy como cualquier otra mujer. Después de superar nuestras diferencias, Edir y yo disfrutamos hoy de una unión llena de armonía y felicidad al lado de nuestros queridos hijos, yernos y nietos.

Con Edir, en una visita al Templo de Salomón en la fase final de las obras (arriba) y el día de la inauguración, cuando recibimos a las más importantes autoridades de Brasil, una mezcla de alegría y gratitud. Dios nos había honrado.

En la sala en la que recibí a las esposas de nuestros invitados ilustres en la inauguración del Templo, con la prédica de Edir, y en una reunión especial de un jueves en la Escuela del Amor.

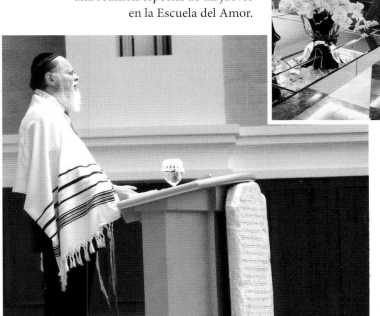

Acepté con agrado adaptarme a una nueva realidad, con satisfacción y sinceridad. Era mi parte en el matrimonio. Yo estaba feliz. Por más humilde que fuera, cuidaba la casa con gusto, manteniendo todo organizado con placer. No miraba el lado malo de las cosas. Yo buscaba darle valor al esfuerzo de mi marido.

También recurría a las oraciones para que nunca nos faltara nada. Solo podíamos contar con Dios, con nadie más, para salir del aprieto. Todo siempre fue sumamente complicado y difícil para nosotros, pero esas dificultades terminaron mostrándose experiencias riquísimas cuando aprendimos a depender de Dios y a confiar en Sus promesas: *«Joven fui, y he envejecido, y no he visto justo desamparado, ni su descendencia que mendigue pan»* (Salmo 37:25).

Mi comportamiento se tornó un elemento decisivo. Mi postura nunca fue la de confrontar. Evito hablar demás. Existe una belleza fundamental en la manera natural de ser y expresarse. Como ya detallé, Edir es un hombre arrojado, explosivo, y mi manera de ser serena hace de contrapunto. Si yo fuera como él o si hablara mucho, no funcionaría. Los aprendizajes que tuve con mi mamá me ayudaron a no quejarme, a no ser amarga, negativa o parlanchina. Por lo que pasamos hasta hoy, veo cómo ese aprendizaje vino de Dios. Siempre me pareció insoportable una persona rezongona, algo que solo dificulta aún más la convivencia de a dos.

Busqué mantenerme como una mujer tranquila, mesurada, moderada en las palabras. No exigía. Yo podía incluso tener razón, pero cuidaba no equivocarme en el tono de voz con Edir. Jamás le grité a mi marido expresiones como: «Tú nunca pagas las cuentas en término»; «siempre estás nervioso»; o «tú nunca me prestas atención». Las palabras tienen fuerza. Algunas podrían transmitir la idea de un defecto de carácter y ofenderlo seriamente.

El hecho es que cuando el marido no se siente respetado, es difícil que le demuestre amor a la esposa. Cuando la esposa no se siente amada, es difícil que respete al marido. Solo el amor no es suficiente. Es fundamental, en especial para la esposa, pero no se puede dejar de lado el respeto.

Actualmente, Edir se transformó en otro hombre, aunque aún tenga sus instantes enérgicos. A veces, mis hijas y yo inclusive nos extrañamos respecto a algunas reacciones pacíficas y sensibles de su parte frente a innumerables ocasiones. El tiempo nos hizo asimilar que somos dos cabezas diferentes, aunque tengamos la misma fe, en el mismo Dios, y que eso no nos impide construir una relación feliz.

En resumen, a pesar de mis fallas y de la inexperiencia durante el tiempo de recién casada, los consejos de mi madre y de mi abuela proseguían conmigo: la mujer es quien edifica el hogar. Ella recibió esa capacidad divina. La mujer no recibió el papel del hombre ni el hombre recibió el papel de la mujer. Cada uno tiene su papel en la construcción de una sociedad perfecta llamada matrimonio. El secreto es que cada uno haga su parte. La carta del apóstol Pablo a los Efesios (5:33) enseña sobre la necesidad básica de amor que tiene la mujer y la necesidad básica que el hombre tiene de respeto: *«Por lo demás, cada uno de vosotros ame también a su mujer como a sí mismo; y la mujer respete a su marido».*

A pesar de acumular tantas fallas, yo busqué seguir ese pasaje por la fe, con todas mis fuerzas. Respeto a Edir y eso lo ayuda a amarme. Cuanto más lo respeto, más él me ama y viceversa. Es obvio que yo también lo amo mucho, pero tengo certeza de que la Biblia cita el respeto a las mujeres porque tenemos una cierta dificultad con eso. Somos aquellas que ven los detalles, que planifican el mañana, que sienten todo lo que está sucediendo alrededor y, por lo tanto, muchas veces es difícil permitir que el hombre haga su papel. Es así que el respeto se va por la ventana y el marido acaba apartándose emocionalmente de la esposa.

De regreso al pasado, aún en el comienzo del matrimonio, nuestra vida económica comenzó gradualmente a presentar una ligera mejora. Poco a poco salimos del aprieto. Después de tres meses y medio, con los ahorros que logramos hacer viviendo en la residencia de mis padres, dimos el primer paso para la compra de un Volkswagen. Después, alquilamos un nuevo departamento, esta vez en el barrio de Grajaú, en Río. Fue cuando, a fines de febrero de 1973, descubrimos con sorpresa que estaba embarazada de nuestra primera hija, Cristiane.

Ser madre era un deseo antiguo y, sinceramente, era lo que más quería en aquella época. Edir trabajaba mucho y yo me quedaba sola en casa, siempre pensaba en lo bueno que sería si ya tuviéramos una hija. La noticia vino antes de lo planeado, pero le trajo una gran alegría a toda la familia, aun conscientes de que las condiciones económicas iban a estar aún más ajustadas. Por ese motivo, permanecí trabajando durante toda la gestación hasta dar a luz. A lo largo de los nueve meses, tuve deseos de comer ciertos tipos de frutas. Nada exótico, pero nuestro dinero aún no permitía ese privilegio. Resolvía mis deseos corriendo a la casa de mis padres.

Solía soñar cómo iba a ser el rostro de mi hija. En aquella época no teníamos recursos para saber el sexo del bebé, pero tanto Edir como yo orábamos para que fuera una niña. Para él, la niña estaría más presente con nosotros y sería más fácil de educar. Para mí, sería la muñeca que siempre había querido tener. ¿Y no era que Dios había respondido a mi sueño más profundo? Mi hija nació realmente con el rostro que imaginaba en mis sueños, una verdadera muñeca. Un rostro perfecto, ojos verdes hermosos, una forma de ser tierna y dócil, un encanto de bebé. La gracia de mi primera hija fascinó a mi papá, a mi mamá, a mis hermanos y a todos los demás parientes. Yo estaba realizada con el nacimiento de una hija tan apreciada. En fin, había algo para que la familia admirara en mí. Pero esa sensación placentera, sería sepultada más tarde, con la llegada de Viviane, como vamos a descubrir algunas páginas más adelante.

Cuando Cris cumplió doce meses, tuve que volver al trabajo. Dejaba a la bebé al cuidado de mi mamá, y solo la veía por la noche, fuera de hora. No fue una tarea fácil. Sufría por querer estar cerca de ella justamente en esa fase tan linda. No me sentía culpable por ser una madre incapaz de estar presente las veinticuatro horas, después de todo, solo deseaba contribuir con el pago de los gastos de nuestro hogar. También me ponía feliz al ver a mi mamá tan cerca de Cris, pero era duro darle la espalda a mi bebé todas las mañanas, antes de irme al trabajo.

Cuando Cris nació, mi tiempo, mi dedicación y mis cuidados se volcaron íntegramente a ella. Yo asumí la responsabilidad de su crianza. Tenía orgullo de pasear con ella en el carrito de bebé. Conforme crecía, se iba convirtiendo en una linda niña, continuamente elogiada por mi familia e incluso por desconocidos en la calle, por donde caminaba, lo cual me envanecía bastante. Yo fui tan espontáneamente envuelta por Cristiane que no fui capaz de ver cómo Edir había pasado a quedar en segundo plano.

En esa época, yo no me daba cuenta de eso. Me enteré mucho tiempo después, cuando Edir admitió que yo solo tenía ojos para Cristiane, lo excluido que se sentía de aquel momento, dejado de lado como marido e incluso también como padre. Como nosotros, muchos matrimonios se perjudican justamente en ese momento, con la llegada del primer hijo. De manera general es un instante único, sumamente esperado por toda la familia. Es también una revolución para la mujer. Generar a una criatura es una experiencia muy fuerte y el vínculo que se crea también. La madre queda encantada con el bebé y, al mismo tiempo, involucrada con las exhaustivas tareas de cuidar a un niño. Amamantar, cambiar pañales, bañar al bebé, despertarse varias veces durante la noche. La mujer se queda casi sin tiempo para sí misma, imagínese para el marido.

Hoy noto claramente que eso puede ser un error. En ese momento, la esposa necesita empeñarse para que el marido continúe siendo su prioridad, impidiendo así el debilitamiento de la relación. Muchos matrimonios pelean e incluso terminan la relación debido al hijo, por poner al niño en primer lugar y no a su compañero.

Edir siguió de cerca los primeros años de Cristiane, incluso cuando empezó a dedicarse integralmente a la Iglesia y a su vida misionera. Con el correr del tiempo me di cuenta de que había un pastor a mi lado. Un hombre de fe con vocación para llevar el mensaje cristiano a los menos favorecidos. Solo que no imaginaba el alcance de cómo Dios lo usaría, en todas partes del mundo, durante las décadas siguientes hasta los días actuales. Ese anhelo estaba arraigado en su interior, latía sin parar, al punto de inco-modarlo constantemente. Aun como empleado público de carrera, no pasaba siquiera una semana sin comentarme que iba a predicar el Evangelio, costara lo que le costara. Antes de dormir, sentado en un parque o caminando por la playa, él se mostraba inquieto al tocar el tema.

— Sabes Ester, yo tengo un llamado. Yo quiero ser usado por Dios para ganar almas por todo el mundo. No voy a desistir — re-velaba, con fibra en la mirada.

El sueño de la fe estaba enraizado en el interior de Edir. Vi esa semilla germinando. Antes, él iba a necesitar superar la ola de nega-tivas y desprecios que intentarían sofocar el mayor deseo de su vida. Y yo, confrontar y vencer mis inseguridades. Mi marido no iba a ser un papá común, que llegara al final de un día de trabajo y jugara con sus hijas. Por eso, hice de todo para compensar su ausencia en casa. Ese fue un papel fundamental que adopté para que la Obra de Dios pudiera proseguir y no perdiéramos a nuestras hijas a lo largo de esa trayectoria, pero eso yo lo relato más adelante.

Mis inseguridades

A veces, pasamos por situaciones difíciles en la vida y no logramos entender el porqué de todo aquello. ¿Cómo permite Dios que caigan dificultades tan grandes sobre aquellos que tanto Lo sirven? Con el tiempo, no obstante, siempre entendemos. Conocí los dos lados de la economía, la abundancia y la escasez, en mi adolescencia y, en aquella época, no fue fácil acostumbrarme a la privación repentina.

Pero una lección me quedó: aprendí a no malgastar, sino a darle valor a lo que tenemos. Ese aprendizaje fue esencial al principio de mi matrimonio, cuando pasábamos por muchos aprietos y Edir necesitaba mi apoyo y no mis murmuraciones. Buscaba darle valor al sudor de mi marido en vez de quejarme por las cosas que aún no teníamos. Ese aprendizaje hasta hoy vive conmigo. Puedo comprar en tiendas de marca, pero prefiero adquirir ropa y zapatos en tiendas con promociones, especialmente en Estados Unidos donde encontramos ropa mucho más accesible que en Brasil o Europa.

Pero no es porque soy ahorrativa que no aprecio la ropa y los zapatos. Pasé un período en el que perdí un poco el control sobre esa vanidad y comencé a comprar zapatos con mucha frecuencia. Edir se quejaba:

— Ester, ¡tú solo tienes dos pies! ¿Para qué tantos pares de zapatos?

Él tenía razón. Reconocí que había adquirido un hábito nada conveniente para una mujer que decidió servir a Dios aquí y allí. Decidí hacer un voto de permanecer seis meses sin gastar un centavo en zapatos, renunciando a mi propia voluntad. Desde entonces, ya no tengo el mismo encanto por ese accesorio en mi guardarropa.

Como ya dije, no me seducen las marcas famosas. Una cartera o un vestido carísimo pueden no ser tan bonitos y útiles como el de una marca cualquiera. La moda no determina mi estilo de vestir. Me gustan varios colores, de preferencia, los tonos más sobrios como el negro, el azul marino y el llamado «off white» (tonalidad de blanco con variación hacia el beige o color hielo). El único color de ropa que no me agrada es el amarillo, pero lo uso porque es el preferido de Edir. Mi objetivo siempre fue estar primeramente discreta, para después estar elegante para mi marido y para las personas con las cuales convivo. Tampoco me gusta mucho maquillarme, aunque a Edir le gusta el lápiz labial y el rubor. Entonces, uso lo mínimo necesario y solamente en situaciones específicas. Pero me gusta ver a mis hijas maquilladas. El tiempo y la edad nos prueban que todo no pasa de vanidad. Amo comprarles ropa a mis hijas. Soy capaz de pasar todo el día afuera solo cazando piezas con descuentos para regalarles.

Volviendo al tiempo de recién casada, por más que la fase de turbulencia económica haya sido un tanto larga, lo que más me golpeó fue cuando tuve que decidir abandonar la iglesia evangélica de la cual toda mi familia era miembro. No fue fácil. Enfrenté profundas dificultades para renunciar a los cultos de alabanza donde me desarrollé como mujer cristiana. El juzgamiento de los miembros se traducía en las miradas. Muchos dudaban de la vocación de mi marido. Yo también cargaba ciertos cuestionamientos al principio, cuando Edir exponía su convicción desmedida. Nada más natural para quien había nacido dentro de una denominación evangélica tradicional. Había extrañeza por aquel atrevimiento de fe.

Una determinada noche, cuando aún no teníamos hijos, llegó a faltar la comida en casa. Solíamos sentarnos en el baño para hacer las cuentas. Él en el inodoro, yo en el bidé. Era nuestro rinconcito de la conversación en el apretado departamento. Con un pedazo de papel sobre la falda y un lápiz en la mano, concluí que faltaba dinero para las compras después de pagar todos los gastos.

— Amor, solo tenemos huevo y agua en la heladera. Vamos a pasar el fin de semana sin nada para comer — dije, desalentada.

Edir se indignó en el mismo instante. Él aprendía solo a reclamarle a Dios el cumplimiento de Su Palabra.

— ¡Eso no es correcto! Somos diezmistas, obedecemos a la Palabra de Dios, ¡y no tenemos comida en casa! ¡No se puede aceptar eso!

Él agarró la Biblia y señaló la promesa de Dios de abrir las ventanas de los Cielos para derramar bendiciones sin medida a los fieles en el diezmo (Malaquías 3:10).

— ¡Está escrito, mi Dios! ¡Está escrito! ¡O es o no es! Tiene que haber una respuesta. ¡Está escrito!

Mi fe, en esa época, aún no era tan arrojada y yo me asusté por la forma en la que él habló con Dios. Pero la respuesta fue tan inmediata que, de a poco, Edir me fue contagiando con aquel tipo de fe. Al día siguiente, él siguió su rutina habitual en el trabajo y, alrededor del horario del almuerzo, recibió un valor inesperado correspondiente a la mitad de su salario mensual. Cuando volvió por la noche, contento, entró a la sala con los brazos llenos de paquetes del supermercado y bolsas de la carnicería. Antes, claro, se ocupó de pasar por la iglesia para devolver el diezmo de aquel dinero repentino. Yo lo abracé de alegría. Desde ese instante en adelante, nunca más faltó el pan nuestro de cada día en casa. Este es un mero ejemplo de lo que Dios hizo en nuestras vidas en las últimas décadas. La historia de la Universal es la mayor prueba viva de esta creencia que funciona.

Yo tuve que lidiar con diversos cuestionamientos sobre la fe, que nunca antes había pensado. ¿Cómo mi marido podía orar de forma tan audaz y sin miedo? ¿No sería falta de consideración? ¿Cómo él se sentía con el derecho de luchar en oración con nuestro Señor?

¿Qué petulancia era aquella? La manera osada en la que él se dirigía a Dios en su clamor me intrigaba. ¿Qué lo motivaba a exigir respuestas delante del Creador de los Cielos y de la Tierra? ¿Qué derechos eran esos?

Su fe nacida de la indignación, la inteligencia que usa la Biblia para exigir de Dios el cumplimiento de Sus promesas y la pasión ilimitada y abrasadora por las almas contrarió totalmente la cultura evangélica que dirigió los principios de mi familia. Tanto en la Asamblea de Dios como en Nueva Vida, pastores y miembros defendían el carácter cristiano y predicaban la salvación eterna del alma, anunciaban a Jesús, pero no tenían la garra y la osadía para renunciar a todo en nombre del Evangelio. No había esa determinación de recuperar a los perdidos, costara lo que costara, como Edir hablaba tan enfáticamente.

Día tras día, él se volvía una persona irritada, intensa, impaciente, principalmente, cuando salíamos de las reuniones de Nueva Vida. Yo no entendía su incomodidad.

— Yo no acepto saber que hay tanta gente yéndose al infierno en este momento y nosotros, egoístas, cantando alabanzas en un coro — se desahogaba conmigo inquieto.

En nuestra rutina de casados, papá de una linda hija nacida hacía menos de un año, algo parecía indignarlo día y noche. Un incendio dentro de él, cuyas brasas aumentaban minuto a minuto. Era como si Dios le estuviera exigiendo. La carrera profesional y los estudios perdieron sentido. Nada más tenía valor frente a su obstinación de servir en el Altar. El idealismo de Edir me impresionaba.

Cierta vez, al salir de un culto de alabanza de Nueva Vida, hasta el tránsito cargado en la puerta de la iglesia lo sacó de quicio. Al intentar pasar a un ómnibus, terminó golpeando el Volkswagen nuevito, comprado algunos meses antes. El semáforo cerró y el Volkswagen quedó comprimido entre el ómnibus y el árbol, justo sobre el cordón de la vereda.

Era exactamente de esta manera. Él salía de los cultos trastornado. Con el tiempo, comprendí que no deseaba simplemente abandonar aquella iglesia. Para Edir, era necesario que surgiera una guardia espiritual, abierta veinticuatro horas, para salvar a hombres y mujeres desesperados, en búsqueda de una última salida para sus vidas. Y ese rescate de fe debía esparcirse por todos los continentes, en todos los idiomas, entre los pueblos de las más distintas razas y etnias, en las naciones más distantes del planeta. Él y yo no lo sabíamos, pero era el embrión de la Iglesia Universal del Reino de Dios dentro de su mente.

Permanecimos como miembros de la Iglesia Nueva Vida por largos once años. Yo lo vi durante todo ese período batallar incansablemente por una única oportunidad que nunca surgió. No tenía que ser. Edir se sentía encarcelado en una institución que lo consideraba incapaz de ser usado para predicar. Él sabía que su lugar era en el Altar rescatando almas del infierno. Un día decidió actuar. Al llegar a casa, cierta noche, solo me comunicó que abandonaría Nueva Vida de una vez por todas. No había margen para discusiones. Su confianza era irrestricta. Su certeza, incuestionable.

Al saber de la decisión, el fundador de la Iglesia, el obispo canadiense Robert McAlister, nos convocó a una conversación reservada. Yo acompañé a mi marido intentando calmarlo. Educado y de manera respetuosa, él nos dijo que se sentía infeliz por la noticia y le aconsejó a Edir no tomar ninguna actitud.

— Obispo Robert, ya se lo expliqué al obispo Tito. Hace varios años que espero una oportunidad que no llega nunca. Yo no soporto más ver a nuestra iglesia en la presencia de Dios y a las personas allá afuera sufriendo. Yo quiero ganar almas, pero no me dejan — argumentó mi marido.

McAlister oyó resignado. Apenas afirmó que comprendía, pero pidió conversar conmigo en particular en otra oportunidad. Días después, fui hasta su oficina en la Iglesia.

— Calma. Es solo fuego de paja, Ester. No se preocupe. Edir está muy entusiasmado. Yo deseo mucho que ustedes continúen en nuestra iglesia — afirmó McAlister.

En aquel momento pensé en responder, pero por respeto o por pensar que no valía la pena argumentar, me callé. Solo bajé la cabeza. Yo sabía lo que movía a mi marido.

— Quédese tranquila, Ester. Yo le garantizo: eso que Edir está viviendo es una simple nube pasajera — añadió McAlister.

No lo era y nunca lo fue. Desde aquel día, él comenzó a dedicarse a las iniciativas solitarias de divulgación de la Palabra de Dios hasta que encontrara un camino definitivo a seguir, o sea, hasta que surgiera la oportunidad de predicar el Evangelio en el Altar. Aquella indignación venía de Dios. Cuando Dios elige es así: viene el querer para que el realizar venga inmediatamente después.

Debido a mis padres y hermanos, sobre todo, yo permanecí algunos meses más asistiendo a los cultos en Nueva Vida. Como no tenía dinero para el ómnibus para visitarlos durante la semana, aprovechaba el domingo para reencontrarnos.

No fue una decisión que me hizo bien. Yo notaba las miradas de los miembros antiguos y pastores que ahora me veían sin Edir. Muchos sabían que mi marido había buscado un camino propio e, innegablemente, parecían juzgar por la forma de la que me observaban cuando caminaba por los pasillos de la iglesia, o entraba o salía al final de un culto. Lo que me ponía incómoda, aun así, era una exigencia interior.

¿Dónde estaba mi otra mitad? ¿Por qué no permanecía al lado de él, aun lejos de Nueva Vida? Una exigencia en mi interior burbujeaba cada día con más intensidad. Algo me decía que mi lugar era junto a mi marido. El domingo parecía vacío sin Edir conmigo en las reuniones. No cargaba culpa, los cultos me llenaban, pero yo necesitaba estar a su lado. El placer mío de estar en aquella iglesia se fue perdiendo poco a poco hasta que desapareció completamente.

Dios me había escogido tanto como a él, y yo ya no podía negar ese llamado debido a mis familiares o a mis costumbres. Mi alegría comenzó a ser vivir de cerca la entrega de Edir por la causa de la Palabra de Dios.

Sin descanso ni espacios de ocio, mi esposo comenzó a evangelizar en hospitales, asilos, zonas pobres y comunidades carentes de Río, al mismo tiempo que trabajaba en la Lotería. Él sabía lo que quería y no iba a volver atrás. Intentó un espacio como pastor en otras denominaciones, sin embargo, siempre oía «no». Fueron varias tentativas. Nuevamente era dejado de lado, excluido, disminuido.

En sus oraciones, de rodillas, aislado en casa, él preguntaba cuál era el motivo para tanta frustración. Yo acompañaba todo a su lado. No tenía mucho que hacer, pero estaba allí cerca. Sabía que si era de la voluntad de Dios, en algún momento, las puertas se abrirían.

Como esposa de alguien que se lanzaba en una jornada tan desafiante, es evidente que ciertos temores rondaban mi mente. ¿Y si todo salía mal? ¿Y si los planes de tener una iglesia viva y verdadera, basada en los principios bíblicos, se frustraban? ¿Y si mi marido no permanecía firme en ese camino con su blanco bien definido? ¿Y si él no tenía la capacidad de administrar un trabajo espiritual? ¿Y si nadie creía en sus palabras? ¿O no le confería credibilidad a sus prédicas? ¿Cuál sería su futuro como pastor? ¿Tendría realmente ese talento concedido por el Espíritu Santo?

Fui alcanzada por los más diversos y agresivos pensamientos negativos como toda y cualquier mujer. Como esposa, combatí las dudas con las armas de la oración, de la meditación en las promesas de Dios y en la confianza irrestricta de que la voluntad de mi Señor sería realizada. No cuestioné a mi marido ni lo atormenté con las inseguridades que intentaban terminar conmigo.

Edir estaba más que determinado: era necesario comenzar una obra espiritual desde cero. Poco a poco, comenzó a idear el modelo considerado exacto para la iglesia de sus sueños. Un proyecto capaz de provocar un terremoto en el infierno. Solo tenía un problema: ¿cómo comenzar una obra sin estructura o condiciones económicas? ¿Cómo alcanzar su objetivo manteniendo la carrera estable de empleado público, con un salario razonable y diversos beneficios?

Era necesaria una definición. Y vino con el surgimiento de un repentino drama que conmovería a nuestra casa. Un pesar capaz de unir, aún más, a nuestra familia y conducir a Edir a un acto definitivo para revolucionar su vida y darle origen a uno de los mayores movimientos de fe del mundo.

Yo viviría ese sufrimiento en mi propia piel.

La historia que me hace llorar

Es necesario confesarlo. Yo no estaba preparada para soportar una fase tan delicada en mi vida. Sinceramente, yo no tenía madurez ni estructura emocional, e incluso espiritual, para enfrentar la realidad de una hija con deficiencia. No estaba lista. Ninguna mamá lo está nunca, pero el amor por el bebé y nuestro instinto femenino hacen brotar una fuerza interior que ni siquiera imaginamos. En mi caso, estaba mi creencia en el Espíritu de Dios para fortalecerme y darme la confianza de que los días terribles pasarían, que la salud de mi hija sería restaurada y todo saldría bien, lo que no significó, en ningún momento, que el suplicio fuera menor.

Cada día, cada hora, cada minuto, desde el instante en que Viviane nació hasta cuando tuve la certeza de que ella estaba cien por ciento recuperada, yo sufrí. Y agonicé sola esos dolores. Desde la primera imagen de mi hijita con las fallas en la boca hasta acompañarla fielmente creciendo en medio de tantas dificultades, entre remedios, cirugías y tratamientos sin fin, semana tras semana, fue imposible no convivir con la angustia.

¿Cómo dormir con tranquilidad con una bebé en ese estado? ¿Cómo tener paz viendo a su hija sin poder alimentarse bien? ¿Cómo ser una madre feliz conduciendo a su niña recién nacida, en llanto vivo, a tantas operaciones, una atrás de la otra? No había un día siquiera en que yo cerrara los ojos y respirara con tranquilidad. Inmediatamente las preocupaciones me abatían. ¿Cómo estará Viviane ahora? ¿Acaso logrará succionar la leche la próxima hora? ¿Y si contrae una enfermedad con un grado de inmunidad tan bajo? La bebé que no se alimenta bien es blanco fácil de las enfermedades. ¿Mi hija aguantará la sucesión de medicamentos e intervenciones agresivas? ¿Cómo sus venas tan frágiles soportarán las incontables cantidades de pinchazos y anestesias? ¿Se recuperará con el correr del tiempo?¿La bebé que tanto amo logrará ser una niña como las demás? ¿Logrará ser una adolescente saludable y realizada?

Por más fe que tuviera en aquel tiempo, no existe madre en el mundo, capaz de no sufrir por su hija. Yo viví el martirio. Padecí día tras día y asumo eso, tres décadas después, como nunca lo hice antes, de forma transparente y sin recelos. Hago eso para mostrarles a las mujeres cómo nuestro Dios me amparó, consoló, guardó a mi familia, sustentó mi fe y, por más doloroso que fuese todo aquello, Él siempre estuvo al frente de mi vida porque confié con todas las fuerzas.

Esa fase de desconsuelo comenzó con la repentina noticia de mi segundo embarazo. Edir y yo fuimos tomados de sorpresa. No habíamos planeado tener otro hijo inmediatamente después del nacimiento de Cristiane, inclusive porque aún intentábamos estabilizar nuestra vida económica. Joven y sin experiencia, yo todavía estaba aprendiendo a lidiar con un niño. En este período, fuimos al hospital para realizarme un examen radiográfico en el abdomen. Las crisis de vesícula me hacían retorcer de dolor. Bastaba ingerir algún derivado de leche para sufrir un nuevo ataque. El problema fue que me había hecho el examen sin darme cuenta que podría estar embarazada. La carga de radiación del examen, quién sabe, pudo haber influenciado de alguna manera en la formación del feto. Esa es solo una desconfianza de nuestra parte.

Enfrenté el embarazo sin mayores contratiempos. El día del nacimiento de Viviane, fui internada sola en la maternidad del Instituto de Asistencia de los Servidores de Río de Janeiro, en el centro de la ciudad, en cuanto tuve la primera secuencia de contracciones. Era una tarde de jueves. En aquella época los médicos intentaban el parto normal hasta el límite. Un tiempo en que el hospital no permitía la presencia de un acompañante para las mujeres en este momento tan vulnerable para nosotras.

Como no había suficiente dilatación, los médicos optaron por la cesárea el día viernes, 18 de enero de 1975. Estaba exhausta con el efecto de la anestesia. Cuando Viviane nació, los médicos me la mostraron rápidamente. Yo la vi simplemente de costado.

Los enfermeros llevaron al bebé al examen del piecito y a los cuidados de rutina, pero no volvió para ser amamantada. No regresó a mis brazos. Yo me mantenía sola en la cama del hospital, sin poder levantarme y sin nadie a mi lado. Buscaba mantener la calma, pero la preocupación crecía. Pasó un día, pasaron dos días y nada de ver a mi bebé. Las otras madres amamantaban a sus hijos, pero yo continuaba sin tener a Viviane en mis brazos. Sin saber lo que estaba sucediendo.

Llamaba a las enfermeras, les preguntaba a todas sobre mi hija y nada. Se excusaban diciendo que solo hablarían conmigo en la presencia del padre. Finalmente el domingo llegó — el hospital restringía las visitas para este día de la semana — cuando Edir pudo, entonces, saber lo que pasaba. Cuando llegó a la habitación, él notó mi desesperación y me preguntó:

— ¿Dónde está nuestra hija Ester?

Conteniendo el llanto, pero sin contener la tensión, le expliqué:

— No sé, Edir. La enfermera no me dice nada. Solo me dice que está bien y está siendo cuidada en la *nursery*. Estoy preocupada. Ve si descubres algo.

Sabíamos que algo no estaba bien. Edir corrió atrás del equipo de enfermería.

— Joven, ¿dónde está mi hija? ¿Dónde está mi hija? ¡Yo quiero a ver mi hija! — preguntó, afligido.

Las enfermeras no querían hablar conmigo. No sabían cómo sería mi reacción y por eso esperaron al día de visita para hablar con el padre. Una actitud que solamente hizo que la espera fuera más dolorosa. Solo sabía que mi hija estaba viva y nada más. La jefa de enfermería llamó a Edir para confirmar el nombre de la mamá.

— Sí, es Ester. Ester Eunice Rangel Bezerra — dijo él.

— Calma, papá. Ya va a llegar. Quédese tranquilo — afirmó, un tanto agitada.

En seguida, la llevarán hasta otra sala.

Yo permanecía en reposo en la habitación esperando ansiosa por alguna noticia, pensando en lo que podría haber sucedido con mi niñita. La duda era demasiado cruel. En aquella sala, dos médicos se acercaron a Edir para prepararlo para ver a la niña. La enfermera le mostró a la bebé. Envuelta en un cobertor, nuestra hija Viviane. Era muy flaquita, con ojeras profundas y con el rostro agredido con defectos. Dos aberturas en los labios y una hendidura en el paladar.

— Es una deficiencia física de nacimiento, ella está bien — explicó el médico, en la tentativa de consolar.

–Lo llamamos labio leporino y paladar hendido — añadió.

— ¿Pero ¿qué es eso, doctor? — indagó Edir, angustiado.

— En resumen, es una malformación congénita.

La enfermera llegó con la bebé a la habitación. Ansiosa, lo miré a Edir en búsqueda de una respuesta.

— Es mejor que no la veas, es muy feo — me dijo.

— Yo quiero ver. Yo necesito ver.

— Calma, es difícil. Necesitas ser fuerte — me avisó, ya sosteniendo mis manos.

No logré contenerme. Había llegado al límite. Las lágrimas cayeron por mi rostro. Al mirar nuevamente a Edir, también lo vi llorando. Intentaba limpiar mis ojos empapados. Era imposible calmarme, el dolor era profundo.

Solos, expresamos nuestro llanto durante algunos minutos en silencio.

A pesar del susto por la noticia, Edir y yo amamos a la niña en el mismo momento en que la vimos. Pero también pensaba en cómo cuidaría a un bebé necesitado de atenciones especiales. ¿Cómo sería su crecimiento con ese problema físico? ¿De qué manera enfrentaría una deficiencia cuyo nombre nunca había pronunciado? Muchos pensamientos rondaban por mi mente. No lograba razonar con claridad. Estaba en shock.

Edir, al contrario, parecía indignado. Como un hombre de fe, él colocó su dolor en las manos de Dios. Sufría por prever el rechazo del que nuestra hija sería víctima en la escuela, durante la infancia, en la adolescencia y, tal vez, por el resto de la vida. Temía por su futuro. Él sintió el dolor en la infancia con las bromas de los niños de la escuela debido a la deficiencia de nacimiento en las manos. Sabía lo que era ser excluido, burlado, avergonzado.

De repente, cerró la puerta de la habitación y dijo que iba a hablar con Dios allí, en aquel instante. En su oración cerró las manos y, con rabia, dio puñetazos sobre la cama innumerables veces. Él expresaba las palabras con indignación:

— Mi Dios, ahora nadie me va a parar. No hay familia, no hay esposa, no hay futuro, no hay sentimiento, no hay nada. ¡Nadie me va a parar! ¡Nadie, nadie! ¡Basta, basta!

Al terminar la oración, Edir se dio vuelta y determinó que, a partir de allí, sacrificaría su vida entera en el Altar para llevar consuelo a los menos favorecidos y a los rechazados. Su prioridad iba a ser servir a Dios. Sí, porque ayudar a los afligidos, como él se sentía en aquel momento doloroso, significaba servir a Dios. El empleo estable, el salario garantizado, el tiempo dedicado a la carrera, los objetivos personales quedarían definitivamente atrás. La Iglesia Universal del Reino de Dios surgió allí.

Al dejar el hospital, en aquella tarde de domingo, mi marido se fue al departamento de su madre. En la maternidad, sola, yo no lograba parar de pensar en las agonías que Viviane enfrentaría a lo largo de la vida. Intentaba prever lo que vendría por delante. Intentaba lidiar con mis sentimientos de madre alcanzados de lleno por aquella escena de algunas horas atrás. Una imagen que me marcó para siempre. ¿De qué forma yo lograría cuidarla? ¿Cómo serían mis reacciones frente a sus dolores? ¿Qué podría hacer para disminuir su sufrimiento? ¿Tendría capacidad de ser una buena madre?

Esas preguntas me martillaban sin cesar.

Pensaba, también, en los obstáculos económicos que surgirían de allí en adelante. Las cuentas continuaban apretadas, el embarazo de nuestras dos hijas no había sido planeado. Cinco meses después del nacimiento de Cristiane, habíamos sido tomados por sorpresa con la nueva gestación. Yo tomaba anticonceptivos, pero no me adapté a los medicamentos y sufría náuseas y malestar. También usábamos preservativo, pero no funcionó. Con la llegada de Cristiane, en un primer momento, Edir aumentó sus actividades profesionales para complementar el alquiler de la casa, pero, aun así, no era suficiente.

Ni bien, mi esposo llegó a la casa de doña Geninha, su madre, la familia se enteró del problema de Viviane. Allí también mostró su indignación, frente a todos los parientes, confirmando que comenzaría a rescatar a las almas perdidas. Aun sufriendo en silencio, yo lo apoyaría integralmente en todas sus decisiones.

Estuve en observación durante cinco días en el hospital. Al regresar, iniciamos una larga batalla para criar a Viviane con salud. Era un verdadero tormento. El primer desafío, diario, era la alimentación con leche. La bebé no podía ser amamantada porque no lograba succionar. Aunque la leche goteaba sobre la cuchara, de gota en gota, seguía corriendo el riesgo de atragantarse debido a la ausencia del paladar. Diez días en casa, Viviane se atragantó y comenzó a enrojecerse. Cada vez más roja y no volvía. La desesperación se apoderó de mí. Yo veía a mi hija sofocada, muriendo. Solo logré gritar:

— Edir, ¡por el amor de Dios! Ella no está respirando. Haz algo, haz algo, ¡ella se va a morir!

No sabíamos qué hacer. Viviane sin aire. No dio tiempo de orar. No daba tiempo de pensar. La desesperación me dominó. Inmediatamente, mi marido tomó a la bebé de mis brazos, la levantó a lo alto y gritó:

— ¡Jesús!

Viviane tosió y retomó la respiración. Un alivio para todos nosotros.

Lamentablemente, otras escenas semejantes se repitieron algunas veces, tamaña era la dificultad de alimentarla. Esa tal vez haya sido una de mis mayores angustias a solas con Viviane. La aflicción de verla batallando para poner comida dentro de su boca. Un acto simple para cualquier mamá, garantía de crecimiento saludable para el hijo, era una tortura para mí. Yo siempre les preparaba la comida personalmente a las niñitas. Mientras cocinaba, la tristeza ya me alcanzaba, solo por la ansiedad de no saber si Viviane lograría alimentarse. Ya un poco mayor, el alimento que le ponía en la boca, por momentos, volvía por la nariz. La leche se mezclaba con la suciedad de la nariz y me provocaba náuseas. Yo no lograba continuar dándole comida. Corría al baño, asqueada, y lloraba. Simplemente lloraba.

No había con quien desahogarse. Mi marido estaba abatido bajo sus responsabilidades en el trabajo de la iglesia. Mis hermanos vivían distantes y, por más que mis papás vivieran cerca, no quería preocuparlos. Entonces, soporté todo sola. Dios y yo. Su Palabra era mi alivio.

Todas las fases de la infancia de Viviane estuvieron repletas de dificultades. Es impresionante, parece que hubiera vivido ayer cada una de esas desesperaciones. A la hora de arreglar una pequeña valija, para llevarla al hospital para ser operada, la bebé parecía intuir que viviría una nueva serie de dolores y procedimientos médicos. Se agitaba, lloraba sin parar. La recuperación era penosa, con sangrados, hinchazones en la piel, cortes y puntos quirúrgicos en la boca y las sucesivas amenazas de inflamaciones. Mi voluntad era cambiar el lugar con ella. Yo me hubiera sacrificado para que mi hija no sufriera.

Entre cirugías y tratamientos

El crecimiento de Viviane trajo nuevas complicaciones para la salud. Ella siempre se alimentaba mal, por eso, tenía enfermedades con facilidad, como fuertes resfriados e infección urinaria. Desde el día en el que nació, los médicos ya nos alertaban sobre la necesidad de una agotadora y cruel sucesión de operaciones delicadas en su rostro. En total, fueron doce cirugías hasta la preadolescencia.

En todas, como cualquier niña, Vivi se sentía muy nerviosa debido a la aplicación de las anestesias. No sabíamos qué hacer para calmarla. En los postoperatorios, vomitaba mucha sangre debido a las agresivas intervenciones en la cara. Ella no se acuerda de nada de esa primera infancia, a no ser de llorar mucho al ser llevada por los médicos lejos de mí, en el hospital. Era solo una criatura indefensa, no entendía por qué se tenía que operar, no lograba identificar su problema físico aún.

La primera cirugía fue a los nueve meses. Exactamente: ¡solo nueve meses después! No es necesario describir mucho esto para comprender el dolor de una madre al llevar a su hija, recién nacida, a una mesa de operaciones. Los enfermeros demoraban en acertar la vena en sus brazos, ya que era bastante menudita, y se vieron obligados a pinchar uno de sus muslos. Yo la acompañé a la entrada del centro quirúrgico. Una intervención dolorosa para mí y para la bebé. Hasta el equipo de enfermeros se compadecía.

En las cirugías siguientes, Viviane no me dejaba por nada. Lloraba, agarrada a mis brazos, y se agitaba cuando la llamaban para el procedimiento médico. Siempre eran anestesias generales. Con todo el amor, yo me ponía la bata del hospital solo para distraerla en el acompañamiento al centro de tratamiento pediátrico. Entrábamos juntas, con ella sobre mi falda. Cuando la ponía en la camilla, enseguida comenzaba a gritar. Mi pecho parecía rasgarse de aflicción.

Las intervenciones en la cara siempre eran arriesgadas porque Viviane no tenía volumen de sangre suficiente para operaciones de gran porte. Cierta vez, tuvimos que juntar dadores de sangre entre amigos y familiares, para una cirugía repentina.

— Mamá, ella necesita mucha sangre. Su hija es demasiado pequeña para su edad. La operación va a hacer que tenga una fuerte hemorragia — alertó el cirujano, asustándome.

Las cirugías demoraban horas en terminar. Mientras tanto, yo no movía los pies de la recepción del hospital a la espera de noticias. Ni bien era liberada, corría para estar cerca de Viviane, aun sin descansar, solo para contener a la niñita y darle la seguridad y el consuelo de su mamá cerca.

Una de las cirugías más complejas fue la que cerró el paladar. La intervención afectó los huesos y la arcada dentaria. Después, durante la recuperación, Viviane se vio obligada a quedarse con la boca atada, cosida. No podía comer, el rostro estaba hinchado. Yo le colocaba un pequeño sorbete para ayudarla a tomar líquido.

— Ester sufrió más que yo. Ella vivió todos los pasos de Viviane, estaba todo el tiempo a su lado — recuerda Edir.

Jamás le conté a mi marido los innumerables sufrimientos de esa época. Yo aguantaba todo solitariamente. Sabía que Edir estaba involucrado con los compromisos de la Obra de Dios. Muchas veces, me veía obligada a consolar a las mujeres en la Iglesia, aun necesitando yo misma consuelo. ¿Sabe lo que es llegar a un templo y ser vista por una multitud como la última esperanza, mientras, muy en mi interior, yo misma buscaba una tabla de salvación? Eso ocurrió durante toda la fase del crecimiento de Viviane. Durante varias horas, yo dejaba de mirar hacia mí y asistía a los necesitados. Dedicaba mi escaso tiempo a aconsejar y a orar por jóvenes y señoras con los más variados tipos de dilemas. Gente sufrida que llegaba al comienzo de la Universal. Mis orientaciones eran casi siempre el mismo consejo:

— Usted necesita confiar en Dios. Jesús dijo que en el mundo tendríamos aflicciones, pero que debíamos tener buen ánimo porque Él venció al mundo. Viva eso para vencer su aflicción. No se desanime, siga adelante, con la cabeza en alto, mirando hacia adelante. Crea que todo va a pasar.

Al llegar a casa, frente a mis desafíos con Viviane, inmediatamente me acordaba de las palabras que repetía en la Iglesia. Era mi turno de aplicar mis propios consejos. De la teoría a la práctica.

Llorar a escondidas pasó a formar parte de mi rutina. Yo sabía que era necesario caminar hacia adelante sin esparcir el pánico en casa, sin murmurar con mi marido, sin dejar de ser la compañera que él tanto necesitaba. Para atenuar la agonía, pensaba en los problemas de los que llegaban hasta Edir en la Iglesia. Ciertamente, serían situaciones peores, tal vez, incluso más dramáticas. Eso ayudaba a comprender el esfuerzo de mi esposo. Al menos yo conocía la salida del laberinto, corría para abrigarme en el refugio del Espíritu de Dios, pero, ¿y aquella gente abandonada? ¿Quién estaría para aquella infinita cantidad de personas clamando por ayuda? Aun pagando el precio del dolor por la ausencia de mi marido, yo tenía que apoyarlo.

Mis palabras y gestos en casa ganaron una gran importancia. Aprendí a apreciar los pequeños momentos de alegría con toda la familia y a valorar los pocos minutitos de contacto con Edir, sin exigencias ni reclamos, aun gimiendo de preocupación por el estado físico de Vivi. No fue simple.

Por momentos, no me sentí suficientemente capaz de superar tantas barreras. Los obstáculos se agigantaban por todos lados. Era como si una inmensa ola cayera sobre mí cada día, y me arrastrara hacia aguas profundas. ¿Quién me rescataría? ¿De dónde vendría la salvación? ¿Quién me extendería la mano?

Mi fe estaba a prueba.

Mientras tanto, yo no podía darle tanta atención a mi primogénita. Mi mamá se quedaba con ella para que yo pudiera llevar a Vivi a sus variados tratamientos. Cuando estábamos juntas, le repetía a Cris lo buenita que estaba siendo ella al ceder para que yo cuidara a su hermanita. Fui agraciada por el temperamento bueno de mi hija mayor al ser comprensiva y no demandarme lo que en aquella época yo no podía darle.

Con el tiempo, Cristiane se transformó no solo en la mejor amiga de Vivi, sino en su mayor protectora. Ella defendía a la menor de los demás niños. Ayudaba a interpretar lo que la hermana decía. No siempre era fácil de entender lo que decía, a pesar de realizar ejercicios de fonoaudiología. Las dos se convirtieron en compañeras inseparables.

Me correspondía a mí, también de manera solitaria, administrar las crisis de la infancia generadas en función de la deficiencia de Viviane. En la escuela, vivía sufriendo *bullying*, pero no me lo contaba. Ella llegaba a casa y se descargaba con su hermana. Al mismo tiempo que eran amigas inseparables, vivían peleándose y, por momentos, yo sabía que Vivi solo estaba descargando su enojo en la hermana. Yo las corregía a las dos y vivía diciéndole a Cris que comprendiera a su hermana menor. Cuando nos fuimos a vivir a Estados Unidos, las dos sufrieron *bullying* y tampoco me lo contaban. Es más, solo supe lo que pasaron muchos años después. Mis hijas se tenían la una a la otra para desahogarse y yo no lo sabía. ¡Ellas se volvieron verdaderas aliadas!

Yo me empeñaba al máximo para que encontraran en nuestro hogar un ambiente acogedor y repleto de afecto. Ellas sabían que en casa siempre estarían amparadas. Tenían un puerto seguro.

Los médicos decían que los complejos de Viviane jamás se borrarían, incluso en la fase adulta, pero su encuentro con el Señor Jesús eliminó esos sentimientos negativos. A lo largo de los primeros años de su crianza, también sentí el prejuicio como mamá de una niña con deficiencia. Para quien adoraba recibir elogios por la belleza y simpatía de la primera hija, la llegada de Viviane me presentó una situación opuesta.

Por momentos, tomaba el ómnibus para llevarla al tratamiento en el hospital y mucha gente suspiraba de aversión. Notaba las miradas incómodas.

— ¿Qué tiene ella en la boquita? Mi Dios, ¿qué le sucedió a su rostro? — cuestionaba alguien a mi lado.

— Caramba, ¿te has puesto una llave en el seno? Quien hace eso tiene a su hijo así. Es una creencia — opinaba otro.

Muchas mujeres me decían que había sido un mal de ojo. Oí varios absurdos. Se preguntaban qué había hecho mal, como si aquello hubiera sido un castigo divino. Cuando oía un comentario malicioso sobre mi hija, me dolía directamente a mí. Sufría al encontrarme con la discriminación en las calles, volvía a casa deshecha. A veces, escondía el rostro de la bebé con un paño solo para evitar oír más tonterías.

Yo observaba a las mujeres fumando, diciendo malas palabras, incrédulas, con un bebecito perfecto en los brazos, lleno de salud, y a mi hija en aquella situación. Justamente yo que tenía una vida íntegra con Dios. Por más que usted intente, es imposible no hacer comparaciones. Algunos parientes se escandalizaban por la apariencia de Viviane y evitaban visitarla. Ninguna madre quiere ver a su hijo tratado de una forma diferente. El marido de una de mis cuñadas, embarazada en aquella época, llegó a prohibirle que conociera a nuestra hija. La primera vez que mi papá vio a Vivi es otra escena que no se borró de mi memoria.

— Pobrecita de mi hija — exclamó él, pavorido, al ponerse las manos en la cabeza.

La situación, ya muy complicada, parecía aumentar de gravedad frente a las reacciones de la familia.

Hasta hoy, Edir y yo no logramos recordar todo lo que vivimos sin contener las lágrimas.

La tristeza golpeaba fuerte, pero seguí adelante cuidando a Vivi con todo celo y amor. Lo que debía provocar una avalancha negativa de peleas y de discordias, fortaleció aún más mi unión con Edir. Crecimos en nuestra relación, crecimos como seres humanos, crecimos en nuestra fe. Mientras que el nacimiento de Cristiane nos apartó un poco debido a mi entusiasmo de madre primeriza, el nacimiento de Viviane nos unió mucho y, además, nos llevó a tomar uno de los pasos más osados hasta hoy: la independencia. Si nuestra hija no hubiera nacido con labio leporino, la Universal no existiría. Saber eso no significa que atravesé toda esa fase de mi vida con facilidad. Las aflicciones dejaron marcas clavadas. Vestigios vivos de mucho dolor.

*«Y sabemos que a los que aman a Dios,
todas las cosas les ayudan a bien,
esto es, a los que conforme a Su propósito
son llamados.»*

(Romanos 8:28)

CAPÍTULO 3

El desafío de la renuncia

Mi marido en otra realidad

Suelo repetir que soy la oveja número uno de Edir. Ciertamente no existe otra persona en el mundo que haya participado de los cultos de mi marido, en los más remotos lugares, en distintas lenguas, para multitudes o para un grupo reducido de gente, en las más diferentes épocas. Yo siempre estuve allí. Desde nuestro origen, acompaño todo de cerca, con la máxima atención y la mente vigilante a los detalles de cada reunión.

Permanezco así hasta los días actuales. A muchos les parece extraño cuando, en determinadas ocasiones, me observan con los ojos abiertos durante los cultos de Edir. Me gusta ver cómo las personas están reaccionando a su oración, ser sus ojos allí, entre las personas, observar lo que pasa cuando él está en el Altar, orando por ellas. Oro junto a él, en espíritu, por todas ellas. No ahorro palabras a la hora de criticar o elogiar su desempeño después de la reunión.

Siempre busco tener un comentario constructivo para hacer, reconociendo que no acierto todo el tiempo. Acompaño la inspiración de su mensaje desde el comienzo hasta el fin, buscando identificar los posibles errores. Sé cuándo Edir habla en el Espíritu y cuando habla en la carne. Noto cuando necesita oración en pleno momento de la reunión. Busco orar por él todo el tiempo para que sus palabras sean dirigidas por Dios, para ejecutar todo conforme a la orientación del Espíritu Santo, porque solamente así las personas podrán realmente ser ayudadas a encontrar la verdadera vida que hay en el Señor Jesús.

Estoy tan atenta y envuelta en el mismo espíritu que, a veces, antes de que Edir hable, la misma palabra ya viene a mi boca. Si lo veo desviando el tema, perdiendo el enfoque de su prédica, inmediatamente elevo mis pensamientos a Dios intercediendo por él. Pido que no se desvíe del objetivo de su mensaje. Ni bien la reunión termina, inmediatamente expreso lo que quizá faltó ser mencionado. Argumento lo que podría haber sido más enfatizado o no. En las reuniones siguientes, me alegro viéndolo poner en práctica mis observaciones.

Nunca lo comento, pero me siento realizada al ser usada por Dios en instantes tan importantes para la salvación de muchos. Tampoco ahorro elogios cuando salgo de una reunión extraordinaria, destacándole los puntos altos en los que las personas fueron tocadas y yo también. Tengo la misión de incentivarlo siempre que sea necesario. Soy la fan número uno de sus cultos. Sus revelaciones bíblicas me sorprendieron a lo largo de las últimas décadas y continúan impresionándome hoy.

No todo fue siempre así.

Me pareció extraño cuando dejé mi antigua iglesia evangélica para participar de sus primeras reuniones, aún en los años del cine y de la glorieta y, en un período posterior, cuando la Universal acababa de nacer. No fue fácil para mí. Yo lograba ir a la Iglesia solo dos veces por semana, los miércoles y los domingos, lo que me hacía extremadamente dependiente de la calidad del alimento espiritual de esas reuniones. La palabra de la denominación a la que frecuentábamos tenía contenido de mayor profundidad para quien ya conocía los textos bíblicos. Dejaba los cultos fortalecida en mi interior, pero, al mismo tiempo, triste por no estar al lado de mi esposo. La alabanza también era diferente. Pasábamos horas orando y cantando canciones de adoración.

Los primeros cultos realizados por Edir no eran así, tampoco en los días destinados a los miembros, como conocemos a la Universal hoy. El mensaje era básico, para quien nunca había oído ni leído una línea siquiera de la Palabra de Dios. Daba los primeros pasos en las enseñanzas de la Biblia. Los momentos de búsqueda, muchas veces, daban lugar a los clamores de liberación espiritual.

Era como si estuviera en la universidad y fuera obligada a volver a estudiar en el primario.

A mi marido no le importaba eso. Deseaba, por encima de todo, salvar almas, socorrer a aquella multitud de sufridos. No estaba acostumbrada a esa pelea radical por las almas. Mi crianza como evangélica tradicional valoraba la palabra, las canciones, el consuelo, la exhortación y el estímulo religioso a los miembros. No les importaban los afligidos del lado de afuera.

Yo estaba lejos de la realidad de Edir. Ese fuego ardiente, la pasión del todo o nada por la salvación de las personas, se encendió dentro de mí un tiempo después, cuando comencé a convivir con el sufrimiento de quien lo buscaba, y conocí de cerca increíbles historias de transformación de vida. De cierta manera, es un hecho, «retroceder» espiritualmente fue una enorme dificultad para mí.

No fue solo eso.

Viví otra época de aprensión cuando Edir decidió abandonar su empleo para seguir su objetivo de dedicarse cien por ciento al Evangelio. Esa decisión de renunciar a todo ocurrió en pocos minutos en la habitación del hospital, días después el dramático nacimiento de Viviane. No faltaban motivos para mis preocupaciones como madre y esposa. En un análisis estrictamente natural, la decisión contrariaba a la lógica. Era un acto de locura.

¿Cómo pedir la renuncia de un empleo público, con dieciséis años de carrera, después de alcanzar el puesto máximo en la dirección de su sector? Edir ya había sido promovido a jefe de la Tesorería. ¿Un horario de solo cuatro horas por día, además de los beneficios y las regalías alcanzadas por el período de servicio, simplemente sería sacrificado? ¿La estabilidad conquistada en un largo tiempo de dedicación sería perdida así, de un momento a otro? ¿Cambiaría lo seguro por lo incierto en un acto de creencia? El desempleo estaba por todos lados.

Sinceramente, no existe una mujer lo suficientemente fuerte como para no alarmarse por una situación como esa.

El salario de fin de mes ya era apretado para la familia, solo con una única hija. ¿De qué forma renunciaríamos al dinero que pagaba los gastos básicos de nuestra casa, ahora con dos niñas para sustentar? Y lo peor: con la renuncia al empleo, Edir perdería automáticamente los derechos al plan de salud del gobierno. Era con eso que contábamos para pagar los gastos de las cirugías y los medicamentos para el tratamiento de la pequeña Viviane.

¿Cómo quedaría nuestra situación? ¿Qué madre no estaría confundida? ¿Qué mujer no intentaría convencer a su marido de la locura de esa decisión?

Es en esos momentos que nuestra confianza en Dios es probada. Desde que tengo uso de razón, pedí que Dios hiciera Su voluntad en mi vida y no sería ahora que yo dudaría de formar parte de Sus planes. Como esposa, solo me callé y confié en el acto de convicción de mi marido y, sobre todo, en la dirección de Dios. Fue realmente una actitud de fe. No había margen para cuestionamientos aunque las preocupaciones vinieran a mi mente. Edir estaba más que decidido por el camino a seguir. Él, el intrépido en tomar las actitudes de indignación, yo, la confiada en que Dios nos sustentaría en todo.

Pocos días después, dejamos la maternidad, él buscó el sector de Recursos Humanos de Loterj y entregó su carta desvinculándose. Al regresar a casa, al comienzo de la noche, nos sentamos en la mesa del living para conversar.

— Ester, hoy pedí la renuncia. Voy a vivir por la fe. No sé qué es lo que el futuro nos reserva. Solo sé una cosa: si Dios existe como hemos creído, Su grandeza será vista y nuestro sacrificio no será en vano. Pero si la Biblia es falsa y estamos siendo engañados, entonces estaremos irremediablemente perdidos — afirmó, convencido.

Y concluyó, aún pleno de confianza:

— Solo existe un medio para que conozcamos la existencia de Dios y la veracidad de Su Palabra: es cuando lo que está escrito en ella se cumple. No podemos creer en un Dios tan grande y no verlo en el cumplimiento de Sus promesas.

La sorpresa fue general. Sus compañeros de trabajo parecían no creerlo. Algunos familiares y amigos nos decían locos. Uno de los parientes llegó a pedirme que hiciera reflexionar mejor a Edir sobre su arriesgada elección.

— No permitas que tu marido cambie lo seguro por lo incierto, Ester. La hija también es tuya. Abre los ojos — me orientaban, transmitiéndome duda e inseguridad.

Mis padres preferían no emitir opinión en una decisión tan delicada. Por otro lado, la señora Geninha, mi suegra, demostró preocupación por el estado de salud de su nieta y el futuro de la familia sin ningún tipo de garantía. Y le pidió a Edir que no dejara de pagar el antiguo INPS, Instituto Nacional de Previsión Social, para garantizarse algún recurso de jubilación. En ningún instante se opuso.

— Hijo mío, solo pienso una cosa: ten cuidado de mantener el tratamiento de Viviane — le aconsejó, en una visita a nuestro departamento.

Yo estaba al lado de Edir cuando su madre le recomendó cautela. La señora Geninha siempre apoyó incondicionalmente la vocación de fe de su hijo.

— Mamá, todo va a salir bien. Yo creo — reaccionó Edir, todo el tiempo seguro de su actitud.

Sin la responsabilidad del empleo como jefe de la tesorería en la Lotería, comenzó a vivir cien por ciento en función de su proyecto espiritual. Su mente, su talento, su capacidad y su empeño estaban totalmente dirigidos al trabajo de evangelización. Él recorría las zonas pobres y peligrosas de Río de Janeiro con disposición para hablar de su fe. Distribuía folletos, visitaba y oraba por los enfermos internados en los hospitales y juntaba desempleados, ancianos, mujeres y niños en oraciones en los barrios carenciados. «Dios no vino para los sanos y salvos, sino para los enfermos y perdidos», solía decirme. De esa forma, su misión avanzaba por los reductos de sufrimiento de la ciudad, sin nunca perder el objetivo de conseguir, finalmente, un espacio propio para el funcionamiento de una iglesia abierta de lunes a lunes.

En el intento de desarrollar trabajos misioneros al lado de otros líderes evangélicos, enfrentó una serie de humillaciones. Llegó a ser rotulado como «fracasado», «hombre sin fe», «pastor de viejitas», «pastor sin llamado», entre otros apodos maliciosos. Él nunca recibió ninguna oportunidad concreta para perfeccionar su talento como predicador. Fue necesario que encontrara su propio camino.

Sufrí al ver a mi marido excluido, pero, al mismo tiempo, aprendía con él a concentrarme cada vez más en un objetivo mayor, en la conquista que vendría con todo aquel sacrificio: ganar almas.

Edir pasaba prácticamente todo el tiempo en la calle, ocupado con sus nuevas funciones, llegando a casa solo al final del día. Él mismo me pedía que les dedicara atención a nuestras hijas, lo que lo dejaba más tranquilo. Sus decisiones y el desarrollo de su trabajo avanzaban sin mi presencia de cerca. Nuevamente, yo podría haber sufrido al verme distante de la realidad de mi esposo, pero me mantuve firme en el propósito de auxiliarlo.

Él volvía a casa sonriente, exultante, con innumerables historias para contar. Con brillo en la mirada, compartía conmigo las orientaciones realizadas a lo largo del día y las nuevas personas conquistadas. Las pequeñas victorias eran motivo de una enorme satisfacción para Edir. Él me incluía en su día y todo aquello tocaba mi espíritu. Fue en aquella ocasión que, aunque continuaba frecuentando Nueva Vida, comencé a acompañarlo a sus reuniones esporádicas en los cines y en espacios públicos, hasta que decidí seguir por completo los pasos de mi marido.

Mi mirada se fue transformando, poco a poco. Comencé a notar las cualidades de sus reuniones. Cierta vez, en una de las primeras veces que vi a Edir predicar, en un cine en Meyer, noté su voluntad extrema de extenderle la mano al afligido. Él aún era muy inexperto y, al mismo tiempo, tenía mucha garra. No le importaba tener cinco o siete personas, predicaba como si allí hubiera cien. Oraba, cantaba y trasmitía su mensaje de convicción con todo el vigor. Veía en él el deseo ardiente de ayudar. Él se disgustaba con el sufrimiento de las personas. Había un empeño sincero. Yo apreciaba eso. Fui aprendiendo a tener aún más convicción, coraje y, sobre todo, amor a las almas.

— Mamá, es tanto trabajo, son tantos desafíos, pero Edir está radiante. Yo lo vi hoy haciendo el culto en el cine. Tan flaquito, pero se convierte en un gigante cuando habla de la fe — le relataba, animada, por teléfono, a mi confidente de siempre.

Acompañé a mi marido en las prédicas en la Glorieta de Meyer, por momentos, al lado de las niñas, aún muy jovencitas. Yo admiraba la intrepidez de Edir. Solo, él empujaba su parlante y su micrófono por la vereda, antes de iniciar el culto a cielo abierto. La plaza era un lugar humilde, sin reformas, con mal olor, la mayor parte del tiempo ocupada por mendigos. Los primeros días, se juntaban cinco, seis personas, pero, con el pasar de los meses, el público aumentó a treinta, cuarenta. Su felicidad crecía junto a la mía.

Eran habitantes vecinos del barrio que llegaban atraídos por las oraciones y el mensaje de liberación espiritual. Yo generalmente tomaba mi lugar, con o sin las niñas, un poco más atrás del grupo de personas. Mi presencia silenciosa allí era el apoyo necesario para mi marido. Muchas mujeres, hoy esposas de obispos y mis grandes amigas, salieron de aquellas primeras reuniones.

Después de un tiempo, Edir comenzó a llevar un teclado para perfeccionar su reunión. Él cantaba alto, desafinado, con fallas en el sonido que lo hacían enojar, acompañado por una miembro recién convertida. La joven era miembro de la alta sociedad de la zona sur de Río, ex miss, y tecladista por hobby. Aun así, fue invitada por mi marido para tocar en medio de la glorieta de Meyer. Los encuentros atraían cada vez a más personas.

Mientras Edir predicaba en la glorieta, un grupo de niños de la calle siempre estaba cerca. Eran muchachos que se ganaban la vida lavando autos en la parada de taxis vecina. Muchos dormían en las veredas, en las marquesinas de los edificios y pasaban la madrugada aspirando pegamento y consumiendo otros tipos de drogas. Uno de ellos llamaba la atención porque siempre vestía una camiseta vieja del equipo de Flamengo. Cuando se iba a comer algo en uno de los bares cerca de la glorieta, antes o después del culto en la plaza, Edir solía pagarle sándwiches al niño.

— Tengo dolor por esos niños, Ester. ¿Qué será de ellos en el futuro? — me comentaba.

El niño, hincha del Flamengo, creció, superó eso y hoy se convirtió en el cantante Latino, conocido en todo Brasil. Mi marido y él se reencontraron en abril de 2015, en un placentero almuerzo en la sede de Red Record, en San Pablo.

— La comida que el señor Edir me pagaba me salvaba el día. Mi primo y yo vivíamos allí después de haber sido expulsados de casa. Yo recuerdo claramente sus palabras en la glorieta. Fueron esas palabras las que me dieron fuerzas y me ayudaron a salir de la calle — contó Latino, emocionado.

El cantante recordó, literalmente, el mensaje de fe que despertó la esperanza de días mejores en quien lo oía.

— Dios quiere cambiar su vida hoy, no importa cuál sea su situación ni lo que usted hace o haya hecho. Usted solo necesita creer — recuerda Latino, repitiendo los mismos dichos de Edir.

El encuentro terminó con un nostálgico abrazo entre dos viejos amigos.

Menospreciada en la iglesia

Con una razonable cantidad de personas reunidas en sus encuentros en la glorieta y en los cines, el próximo paso de Edir fue buscar un inmueble para abrir la primera tan soñada iglesia.

— Vamos a lograrlo, Ester. Si encontramos un lugar espacioso, aunque sea simple, sé que va a quedar pequeño en poco tiempo. Mucha gente está conociendo al Dios en Quien creemos. Los milagros están sucediendo de forma excepcional — contaba, siempre repleto de energía.

Prácticamente todos los días había nuevos testimonios de cambios de vida o de un acontecimiento fuera de lo común durante sus reuniones, sobre todo, experiencias relacionadas al trabajo de liberación espiritual. Los casos se multiplicaban.

Recuerdo a Vera, que llegó a la Iglesia con muchos problemas en el matrimonio, pero su mayor problema era interior. Ella había servido a los espíritus durante casi toda su vida y no sabía cómo librarse de ellos y de todos los síntomas malos provocados por esa práctica. Después de participar en las reuniones, Vera se liberó y terminó trayendo a toda su familia simplemente por su cambio de vida. Ella se convirtió en una gran amiga nuestra. Era como si formara parte de nuestra familia. Ella se quedaba con las niñas cuando yo viajaba con Edir, se ocupaba de acompañarme a las cirugías de Vivi y, siempre de buen humor, era la alegría en persona. Las niñas amaban pasar el tiempo con ella. Más tarde, sus hijos también se convirtieron en pastores.

En esa fase inicial, sin embargo, no todo era alegría.

También enfrenté un período de dificultades por sentirme un tanto desplazada de la vida de mi marido como pastor. Diferente a mi antigua iglesia, la Universal tenía reuniones a la mañana, a la tarde y a la noche, todos los días. Yo aparecía en la iglesia solo los miércoles y los domingos por la mañana y por la noche. Durante la semana, me empeñaba en cuidar la educación de Cristiane y Viviane. Las dos necesitaban despertarse temprano para ir a la escuela, lo que me impedía salir de casa por la noche.

Eso generó dentro de mí una cierta inseguridad respecto a mi papel al lado de mi esposo. Mientras tantas otras personas se disponían como voluntarias para estar presentes en las reuniones, yo estaba en casa con las niñas. «Las personas deben pensar que no me importa el trabajo de Edir», llegaba a pensar yo. Aparentaba ser una esposa negligente, sin fe, indiferente a la dedicación de mi marido a la causa de los menos favorecidos. Edir pasaba todo el día afuera, de un lado para otro, acompañado por otros pastores y miembros, resolviendo los problemas del comienzo de la Iglesia. Cultos, programas de radio y televisión, atenciones, apertura de nuevos templos. Yo jamás estaba cerca, lo que daba margen a esos pensamientos negativos con respecto a mí misma.

¿Cómo podrían saber que yo permanecía en casa para que su ausencia no afectara tanto a las niñas? Acompañaba atentamente su programa en la radio, de principio a fin, como una manera de informarme sobre los acontecimientos en la Iglesia, como reuniones especiales y testimonios, y para saber sobre sus horarios de salida y de regreso. Ni bien llegaba a casa, cuando no estaba muy cansado, Edir casi siempre compartía su día de actividades. Mi papel era ser su apoyo para su hogar.

Él vivía lejos de mí la mayor parte del tiempo, lo que no llegaba a ser un problema porque, cuando estábamos juntos, compartíamos todo. Estoy segura de que ese fue uno de los secretos del éxito de nuestro matrimonio: siempre fuimos muy compañeros. Además de eso, Edir siempre me trasmitió mucha seguridad, tanto por su fe como por su temor a Dios. Cuando notaba que algunas mujeres deseaban la atención de mi marido más de lo normal, yo lo veía gracioso. No soy una mujer celosa, incluso porque mi marido nunca me dio motivos para eso. Mis hijas eran las que se enojaban mucho al presenciar ese tipo de cosa, especialmente la mayor.

— Mamá, ¿has visto la manera en la que aquella mujer se sentó en el primer banco de la iglesia? ¡Está queriendo llamar la atención de papá! — decía Cristiane.

— Déjala, hija mía. Ella necesita ayuda.

Y realmente, aún más en el verano de Río de Janeiro, con temperaturas muy altas, no era raro que aparecieran mujeres con trajes indecorosos en búsqueda de atención. Enfrenté todo eso sin celos hacia Edir. Siempre vi a mi marido como un hombre de Dios. Confiaba y confío en él porque su fidelidad es consecuencia de ser, primero, fiel a Dios, y después a mí. Si él es fiel a Dios, como sé que lo era y siempre lo fue, también será fiel a mí.

Mi convivencia con las esposas de los pastores nunca dejó de estar marcada por el respeto y la amistad. Ellas me trataban como a una gran madre y tenían un cariño muy grande por mí, incluso, no solo ellas, la mayoría del pueblo también. Mientras nos sacrificábamos por el pueblo, el pueblo nos agraciaba con su cariño y, principalmente, con sus oraciones. Era común que recibiéramos comidas caseras hechas por señoras que nos amaban profundamente. Estoy segura de que el cariño y el respeto de las esposas de los pastores y del pueblo por nosotros se debe al cariño y al respeto que nosotros tenemos por ellos. Nunca fui de llamarle la atención a nadie. Como ya lo conté, no me gusta confrontar a nadie.

Existen dos fórmulas que uso para ayudar a las esposas y a las mujeres en la Iglesia. Una de ellas es a través de la oración y de las reuniones que hago. Yo confío que el Espíritu Santo va a hacer Su trabajo en el interior de cada una. Cuando veía a alguna esposa de pastor faltándole el respeto a su marido o inclusive a mí, buscaba darles a todas un mensaje de la Palabra de Dios y oraba a Dios para que Él hiciera el resto.

Por más que la mayoría de las mujeres en la Iglesia me respete, siempre había algunas que no se comportaban así, tal vez incluso por el exceso de intimidad que di inicialmente. Ya me han faltado el respeto e inclusive fui ignorada por algunas mujeres a lo largo de los años en la Iglesia, principalmente al comienzo. Pero siempre pagué el mal con el bien. Esa es la segunda fórmula que uso.

Entendía que esa es la manera más adecuada de lidiar con las situaciones embarazosas. Siempre que una esposa de pastor me faltaba el respeto, sea simplemente por no aceptar un consejo o por estar distantes de Dios, problemáticas, nunca tomé represalias o cometí algún acto de venganza. Muy por lo contrario, me dedicaba a tratar a cada una de ellas aún mejor.

Los desentendimientos ocurrían porque algunas pensaban que yo decía cosas que no debería haber dicho. Asumo mi parte de culpa: debo, sí, haber sido mal interpretada innumerables veces durante mis reuniones con las mujeres. ¿Quién nunca lanza una palabra indebida o da una opinión inadecuada en centenas o miles de horas de mensaje, durante décadas? Pero la intención nunca dejó de ser orientar y jamás afrontar, herir o disminuir a nadie.

En uno de nuestros encuentros, la esposa de un pastor, apartado de nuestro medio por serios desvíos de conducta moral, se enojó conmigo después de una advertencia sobre los cuidados en la vida conyugal.

Al final de la reunión, después de atacarme con palabras, ella dijo:

— Ester, ¿sabe cuál es su problema? Usted no tiene espíritu de liderazgo. ¡Esa es la verdad! — me agredió, frontalmente.

Años después, lamentablemente, esa esposa no logró liderar ni siquiera a su propia familia. Hoy está divorciada al igual que uno de sus hijos.

En otra reunión, recuerdo haber hecho un comentario específico sobre un tema relacionado a la familia. Una de las esposas tuvo otro entendimiento y me buscó juntamente con su marido para que les dé explicaciones.

— ¿Cómo tiene coraje de decir eso de su propia familia? — preguntó el esposo.

Le expliqué que tal vez podría haberme expresado mal, pero que jamás diría algo semejante. Aun así, el marido confió en la afirmación de su mujer. Me acuerdo, también, de haber sido ser malinterpretada por otras esposas porque sentían celos de mí con las más allegadas, lo que revelaba en ellas una falta de crecimiento espiritual. Busco a cada instante ser amiga de todas, pero es natural crear una afinidad mayor con una u otra. Eso no es consciente o a propósito.

Motivos de roces aparte, lo que me motivaba fue y siempre será decir lo que la Palabra de Dios espera de cada una de ellas. Nunca dejé de orar para que Dios haga la obra necesaria en la vida de todas. Las valoro a una por una, sin distinción, desde las más señoras a las más jóvenes, desde las que tienen más experiencia hasta las que están llegando ahora. Todas merecen mi respeto.

Quien me conoce más de cerca, sabe que preservo un amor inmenso y verdadero por las esposas de obispos y pastores. Considero a cada una de ellas mis verdaderas hermanas e hijas, como cuento más en «La esposa del obispo», y soy continuamente retribuida por este cariño. Una de las mayores pruebas de eso es la naturalidad con la que comenzaron a llamarme «señora» en todo el mundo. Nunca busqué ser tratada así. Pero esa consideración surgió con el avance de mi edad, en el transcurso de incontables viajes hacia nuestros templos en el exterior.

Inclusive, no estoy a favor de la costumbre en la Iglesia de decirles a todas las esposas «señora», inclusive mis propias hijas Cristiane y Viviane. Aunque lideren trabajos espirituales tan importantes, las dos son muy jóvenes para recibir esas designaciones. Hoy, incluso las más jovencitas, recién llegadas a la iglesia, son llamadas así inmediatamente. Ese respeto por mí no fue impuesto, sino conquistado a lo largo del tiempo, tanto que la mayoría de las mujeres e integrantes del comienzo de la Iglesia me tratan solo por el primer nombre.

Uno de nuestros miembros más antiguos que toda la vida me llamó «Ester» fue el señor Albino, frecuentador con su familia de la época de la glorieta. Fue él quien ayudó a Edir a encontrar el inmueble que le daría vida a la primera Iglesia Universal: la antigua funeraria en el barrio de Abolição. Después de visitar el galpón, él me contó la novedad entusiasmado. Era exactamente lo que buscaba. Pero había un obstáculo a ser vencido: la obligación de presentar un garante para la firma del contrato de alquiler. Edir decidió pedirle ayuda a mi suegra, la señora Geninha, que, generosamente, estuvo de acuerdo en poner su único departamento como garantía de la locación. El acuerdo imponía una serie de exigencias. El valor también era alto.

Pocos días antes de la firma, mi cuñado, Romildo Ribeiro Soares, intentó hacer que mi suegra desistiera. Ella nos buscó para contarnos lo que había ocurrido. Estábamos en la mesa de la cocina.

— Romildo me dijo que no hiciera esto, que es una locura. Me dijo así: «Su hijo no va a lograr pagar y usted va a perder el departamento. Si Edir deja de pagar solo por tres meses, ellos le toman su inmueble» — contó ella, con detalles, el consejo completamente incrédulo.

La señora Geninha no le prestó atención y firmó el contrato como garante.

«No, Romildo. ¡Ponte en mi lugar! ¿Qué madre sería capaz de dudar de su propio hijo? ¡Yo voy a firmar!», le dije.

Y, volviéndose a Edir, completó:

— Yo creo en ti, hijo mío.

El contrato de alquiler de la funeraria estaba firmado.

La primera vez que entré al edificio, caminaba al lado de Edir. Eufórico, él me mostraba cada detalle del lugar. Los voluntarios pintaban las paredes, martillaban los bancos, refregaban el suelo, arreglaban los baños en un movimiento de solidaridad y fe.

— Sí, Edir... Es nuestra casa. Nuestra primera casa — afirmé.

Él trazó una sonrisa conmovedora.

La noche del sábado 9 de julio de 1977, en la antigua Avenida Suburbana, número 7248, tuvo lugar el primer culto en la trayectoria de la Universal. Edir se arregló temprano, se puso su mejor traje, juntó la Biblia a su cuerpo y partió feliz para seguir su ministerio. En fin, Dios había respondido a sus súplicas, después de tantas humillaciones y rechazos.

El culto de la inauguración se llenó. Al ver a mi marido predicar, recordé todo lo que habíamos vivimos hasta entonces. Era nuestra respuesta.

Cada semana, una sorprendente nueva multitud llegaba al antiguo salón de la funeraria. No demoró mucho para que la Iglesia se volviera pequeña, tamaña era la cantidad de fieles. Yo empecé a conocer a las mujeres, a nuestras obreras y miembros, más de cerca. Las evidencias de tanta gente transformada me llenaban de satisfacción. El amor de cada una de ellas por la Iglesia, visto en los detalles del auxilio a los pastores y al pueblo, era conmovedor.

Las reuniones de liberación siempre estaban colmadas. Mucha gente se aglomeraba, de pie, atrás de los bancos. Quien participaba de los cultos de Edir sabía que algo diferente sucedía allí. Aun sin mucha experiencia con ese tipo de trabajo espiritual, él osaba determinar la expulsión de los espíritus malignos de la vida de los que participaban. Eso también generaba mucha curiosidad. Entrevistaba al espíritu, incorporado, antes de ponerlo de rodillas y expulsarlo. Yo solo observaba las miradas curiosas del gran público presente.

Algunos cultos de aquel tiempo parecían un verdadero campo de batalla. Al iniciar las oraciones con la imposición de manos, muchos espíritus manifestaban al mismo tiempo, los cuerpos eran lanzados de un lado a otro y el griterío invadía el salón. Yo misma, al comienzo, quedaba aterrorizada, pero entendí que allí estaba siendo trabada una guerra por la salvación de las personas.

Nunca ninguno de los pastores que había conocido tuvo disposición para descender al infierno y luchar, con ímpetu, por las almas de los desesperados. Esa intención sincera hizo que la Universal naciera, tomara forma, se expandiera y se mantuviera viva hasta nuestros días. Edir siempre luchó por eso. Su objetivo era arrancar al adicto del vicio, al alcohólico de la alcantarilla, al enfermo de la enfermedad, al arruinado del pozo. Su Dios era el Dios de los milagros, Salvador de los perdidos.

— Si Él existe, ¡tienen que suceder cosas grandes! — repetía siempre, compartiendo conmigo, una vez más, un deseo guardado dentro de sí.

¡Sería una locura dejarme llevar por meras pequeñeces entre mujeres frente a la Obra de Dios tan grande! Mientras Edir se esforzaba por eso, nuestro hogar estaba bajo mi responsabilidad.

¿Cómo avanzaría él en su travesía de fe si su casa lo colmara de problemas? ¿De qué forma la Iglesia crecería si su líder espiritual enfrentara graves trastornos con sus hijas o con su esposa, si su mujer no lo apoyara en nada, lo llenara de quejas y cuestionamientos, y no renunciara a sus voluntades, a su rutina y a sus objetivos personales por él? Una pregunta era aún más incómoda: ¿cómo lograr realizar todo eso si soy una mujer llena de fallas?

«Mujer virtuosa, ¿quién la hallará? Porque su estima sobrepasa largamente a la de las piedras preciosas. El corazón de su marido está en ella confiado, y no carecerá de ganancias. Le da ella bien y no mal todos los días de su vida.»

(Proverbios 31:10-12)

Delante de mis errores

Paz en casa. Esa era mi misión número uno para contribuir con la difícil tarea de Edir de ayudar a salvar a innumerables personas diariamente. Desde el principio de la Iglesia, yo necesitaba asegurarle a mi marido la perfecta tranquilidad en su regreso para el descanso en el hogar. Paz en su matrimonio, paz en la relación con sus hijos, paz en cada minuto de la convivencia con nosotras.

También tenía la responsabilidad de la rutina de la casa. Nunca admití dejar que les faltara nada a mi marido y a mis hijas. No hacía que Edir se ocupara de pequeñeces, evitaba que se preocupara por problemas menores. Incluso cuando enfrentamos los intensivos tratamientos de Viviane, busqué ser resistente para evitar al máximo compartir pesos con él. Claro que tomábamos juntos las decisiones más importantes como, por ejemplo, las elecciones de un especialista, de los hospitales o la definición de un tipo de cirugía. Pero confieso que filtré innumerables situaciones desgastantes para no comprometer su desarrollo con la Iglesia.

Mi marido llegaba al final del día agotado, sin fuerzas para nada, necesitando descansar y recuperar su aliento. Él no tenía paciencia ni lograba dedicarles tiempo a las niñas. Por ser pequeñas, claro, Cristiane y Viviane reclamaban por la falta de diversión y paseos con su padre. Querían jugar, ir al cine o al parque, deseaban pasar más tiempo al lado de Edir. Sentían su ausencia y conversaban bastante conmigo.

Por eso, tuve que redoblar mis cuidados, mi atención en la forma de criarlas y mi celo espiritual para que Cristiane y Viviane no crecieran rebeldes contra su padre. Pensaba sobre ese peligro todo el tiempo. ¿Y si las dos se rebelaran contra la ausencia de su padre? ¿Y si creyeran que mi marido era un hombre frío que rechazaba a su familia? ¿Qué haría si intentaran llenar ese vacío con las ilusiones del mundo, lanzándose a caminos incorrectos? ¿Y si creciera en el corazón de ellas un rencor contra Edir?

Mis palabras y mi conducta eran decisivas para evitar ese mal en nuestro hogar. Les expliqué con insistencia a las dos el inestimable valor del trabajo espiritual de su padre y la manera en la que se entregaba sin restricciones. Yo veía su dedicación. Prácticamente no estaba con las niñas, había renunciado a acompañar el crecimiento de sus hijas para predicar la Palabra de Dios. Yo lo apoyaba. Jamás le reclamé ni le exigí atención hacia las niñas.

Desde temprano, me esforzaba para que Cristiane y Viviane miraran a Edir de la misma manera que yo: el cumplidor del más extraordinario y relevante trabajo entre todas las profesiones. Los demás trabajos servían para ayudar a las personas durante noventa, cien años, pero su trabajo tenía valor por toda la eternidad. En ninguna situación, jamás lo critiqué ante ellas como tampoco dejaba de explicarles su precioso compromiso.

— Niñas, papá está haciendo algo muy importante: está hablándoles de Jesús a las personas. No hay nada más valioso que eso. Es su misión — dialogaba, con la serenidad aprendida con mi madre y mi abuela.

Las dos crecieron comprendiendo bien ese aspecto. Estimulaba en ellas el profundo respeto por la Iglesia y por los pastores. Cuando algunos de ellos nos visitaban en casa, por ejemplo, yo me esforzaba para tratarlos con dignidad, para mostrar el temor por la Obra de Dios. Salió tan bien que, en cierta época, las niñas soñaban con ser secretarias de su padre ni bien alcanzaran la edad adulta. Fue una victoria como madre ver a mis hijas creciendo de esta manera. Una de las mayores conquistas de mi vida.

Más allá de despertar la consciencia sobre el valor del esfuerzo de Edir, dedicaba mi tiempo a educar y formar la personalidad de las niñas con los principios de la fe cristiana. En el auto, camino a la escuela y a la Iglesia, siempre que estaban conmigo, compartía historias de la Biblia, además de incentivarlas a llevarle sus problemas a Dios en oración. Las dos se sentaban a mi lado durante los cultos de su padre, antes que existiera la Escuela Bíblica Infantil, espacio exclusivo de la Universal para auxiliar en el cuidado de los menores y enseñarles los caminos de Dios.

Pero yo también me equivoqué mucho como madre.

Con menos de treinta años, demasiado joven en mi fe, obviamente me encontré con una sucesión de fallas.

Crecí como una mujer muy insegura, a pesar de mi carácter fiel a Dios. Nunca tuve una autoestima elevada. No me creo bonita ni poderosa, como las mujeres se enorgullecen por ahí. Como ya conté, crecí con cierta inseguridad con respecto a mi apariencia. Mis hermanas y primos estaban siempre en evidencia, ya fuera por la belleza, simpatía o por su manera de hablar, mientras que yo me disminuía. El nacimiento de Cristiane fue mi orgullo. Finalmente me daba cuenta de que había realizado algo admirable para mi familia. Parecía que me miraban así. Yo estaba feliz por eso, en fin, había logrado destacarme, dar un paso que había hecho que me destacara. Fue cuando, entonces, nació Viviane y nuevamente volví a mi condición pequeña.

Esas y otras comparaciones cercaron mi interior durante mucho tiempo. Creo que cargué esa falla en el crecimiento de mis hijas. Erróneamente, también solía comparar a mis niñas con sus primos. Al comienzo, Cristiane y Viviane eran las únicas de la familia que no tenían comodidad, no se alimentaban bien, no se destacaban en nada, ni en la escuela. Eran dos niñas muy delgaditas, aparentaban inclusive estar desnutridas. Nunca fueron de alimentarse correctamente.

Yo les insistía que comieran carne, pescado, verduras, legumbres y otros platos nutritivos y saludables, pero las dos se rehusaban con mucha maña. Cuando las retaba, amenazándolas con reprenderlas más duramente, Cris y Vivi corrían hacia la protección de Edir:

— No quiero comer, papá — refunfuñaba una de ellas.

— Ellas necesitan alimentarse bien, Edir. Están delgaditas — argumentaba yo.

— Déjalas, Ester. Come si quieres, hija mía — afirmaba mi marido.

Para insistir que debían alimentarse, admito que, a veces, dije cosas indebidas.

— Tu nariz va a crecer con tu delgadez— jugaba con ellas, sin noción exacta, en aquel tiempo, de la fuerza de las palabras.

Cristiane afirma que creció con ese complejo durante la adolescencia, aun teniendo una nariz perfecta para su rostro.

Además de crecer delgaditas, Cris y Vivi andaban desarregladas, demasiado tímidas en relación a las niñas de su edad, dentro y fuera de nuestra familia. Parecía que habían heredado mi inseguridad. El mismo sentimiento que cargaba dentro de mí, durante la convivencia con mis parientes.

Eso dolía. Yo me sentía mal. En algunos momentos no me consideré una buena madre.

Sin embargo, hoy, mirando hacia atrás, analizando mi pasado, el de mi marido y el de mis hijas, es evidente que no todos los que tienen potencial aparentan tener potencial al principio. Es el plan de Dios para los que se entregan a Él.

«Sino que lo necio del mundo escogió Dios, para avergonzar a los sabios; y lo débil del mundo escogió Dios, para avergonzar a lo fuerte; y lo vil del mundo y lo menospreciado escogió Dios, y lo que no es, para deshacer lo que es.»

(1 Corintios 1:27-28)

Resistiendo en casa

La primera gran concentración de fe de la Iglesia no quedó registrada en mi memoria por la multitud alcanzada o por los hechos extraordinarios durante la reunión, sino por mi desesperación dentro de casa. Aún muy al principio, mi marido decidió alquilar el Gimnasio del Olaria, en Río, para realizar el primer evento de ese porte de la Universal. Más de siete mil personas colmaron las dependencias del lugar.

Ese exacto día, yo sufría todavía por el estado de salud de Viviane. Nuestra hija estaba por cumplir cuatro años, cargaba las secuelas del labio leporino, cuando contrajo una inflamación grave en la boca: la estomatitis. Habíamos pasado toda la semana, aprensivos, de médico en médico. Puedo afirmar que aquellos días vivimos un pedacito del infierno.

Esa infección se forma con el surgimiento de lesiones ulcerosas en la lengua, en la encía y llega a afectar parte de la garganta. A pesar de ser benignas y no transmisibles, su cura no lleva menos que de dos a cuatro semanas. Son aftas dolorosas que dificultan la alimentación, provocando fiebres e intensa irritación en el niño. Viviane estaba peor: las heridas se extendían desde los labios hasta el esófago, según el diagnóstico de los especialistas.

Los días pasaban y su condición física era cada vez más complicada. El viernes, víspera del evento en Olaria, ella quedó totalmente imposibilitada de ingerir cualquier tipo de alimento o remedio por la boca debido a los agudos dolores. Su llanto y sus gritos de desesperación se propagaban por la casa durante horas seguidas.

Muy afligida, ya no sabía bien qué hacer. ¿Cómo actuar para disminuir su tortura? ¿De qué forma podría darle la comida? Cuando intentaba algo, sus gritos de dolor aumentaban aún más. El medicamento capaz de curar la infección también era vía oral, pero Viviane no lograba ingerir nada. No encontraba una salida para alimentarla. Líquidos, caldos, pequeños pedazos de frutas. Nada le bajaba. ¿Y si la infección se agravara por no comer durante varios días? Su llanto no disminuía. Solo era interrumpido cuando se dormía por tanto cansancio. Cuando me sentaba y fijaba mis ojos en ella durante algunos minutos, su agonía parecía pasarse hacia mí.

Era mi hija retorciéndose de tanto sufrimiento.

Cuando regresamos nuevamente del médico, ya el viernes a la noche, Edir se encontró con el dilema de realizar o no la primera concentración de fe de la Iglesia. Había invitado a las personas sufridas por la radio y en los cultos durante varias semanas seguidas. ¿Cómo podría abandonarlas? ¿Debía estimular a mi marido a darle la espalda a miles de hombres y mujeres necesitados que iban a llegar al gimnasio del Olaria? Pero, ¿y nuestra hija? ¿Y si le ocurría algo grave mientras él estaba allá? ¿Quién me iba a ayudar a socorrerla?

Estábamos frente a una prueba de fuego más.

Mi fe también estaba siendo probada. Yo me preguntaba, ¿cómo mi marido logrará ayudar a miles de personas si no puede ayudar a nuestra propia hija? Mi Dios, ¿cómo entender eso? ¿Cómo usará él Tu Palabra para determinar la cura de quien sufre si nosotros vivíamos la aflicción dentro de nuestro propio hogar? ¿Será él un predicador que no cree en lo que predica? Mi Dios, ¿cómo explicar todo eso? ¿Dónde estás, Señor?

Yo veía en el rostro de Edir la imagen de la frustración por estar viviendo el mismo sentimiento que el mío. Nos sentamos a conversar en el living de casa, aún la noche del viernes.

— Una de dos, Ester: o sigo a mi corazón y me quedo contigo aquí gimiendo a causa de esa maldita enfermedad o Le entrego el problema a Dios y sigo adelante — afirmó Edir, decidido.

En el mismo instante, Viviane comenzó a gritar aún más alto de tantos dolores. Parecía que el inferno se había transferido a nuestra casa.

Pero nada detuvo a mi marido. Al siguiente día, se dirigió al Gimnasio del Olaria, con nuestra hija todavía gimiendo por el sufrimiento.

— Cuídala, Ester. Hay mucha gente desesperada dependiendo de esa reunión. El Señor va a proteger a nuestra casa. Él está viendo nuestro sacrificio — me fortaleció, al salir.

Me mantuve al lado de Viviane intentando calmarla minuto a minuto.

La concentración fue un éxito y comenzó una secuencia histórica de eventos con grandes multitudes, hito del crecimiento excepcional de la Iglesia Universal.

Es imposible afirmar que fue simple enfrentar todo eso. Para equilibrar esos cuidados, sobre todo en la fase de la delicada salud de Vivi, yo no podía renunciar a mantenerme espiritualmente fortalecida. Madre, esposa, iglesia, casa, hija en tratamiento. Solamente Dios pudo darme las condiciones. Para alcanzar esa fuerza, yo meditaba en la Biblia y oraba mucho. Vivía en estado de súplica al Señor para sustentarme. Solo Él conocía mi estado físico y emocional, lo que en el fondo me pasaba.

En verdad, yo no oraba, sino que clamaba por la ayuda del Espíritu de Dios. Tanto que en los cultos, Él me hablaba a través de los mensajes de Edir. No me lancé a las rebeliones, a las indagaciones, a los lamentos o a la dejadez. Busqué amparo en Dios. Sabía que, tarde o temprano, todos esos tormentos iban a pasar. No podía mirar hacia las circunstancias, tenía que perseverar y vencer las dudas. Esta fue la dirección divina que me sustentó en aquellos años.

Cuando aún me concentraba en cuidar a Viviane, Cristiane comenzó a sufrir una bronquitis asmática. En las noches de crisis intensa, se afligía por la falta de aire y no lograba dormir. Solo conciliaba el sueño en nuestra cama. Edir se mantenía abrazado a ella hasta que se durmiera, después nos dejaba allí y se iba a dormir al piso para que tuviéramos más comodidad.

Toda la infancia fue así, hasta los 13 años. Llegamos a correr por varias salas de emergencias en la madrugada carioca para aplicarle antibióticos. Bastaba que se nublara para que comenzara a quejarse. Fueron varios tratamientos, varios medicamentos, y nada. En Brasil, las crisis eran más frecuentes en invierno, principalmente con el aire frío de la sierra de Petrópolis, donde vivíamos antes de vender nuestra casa para comprar Radio Copacabana.

Después de ausentarme en el evento del Gimnasio del Olaria debido a la enfermedad de Viviane, pude presenciar, por primera vez, una concentración de fe realizada por Edir, esta vez en el Gimnasio del Maracanãzinho. Fue un paso más osado. Mi marido invitó al público de las demás sedes de la Universal al mayor culto de liberación espiritual realizado hasta entonces. Él subió radiante al escenario, armado con un modesto tablado de madera, la tarde de un domingo. Más de veinte mil personas colmaron el gimnasio. Yo me ubiqué al lado de las demás esposas, cerca del púlpito. Un día que quedó marcado para mí.

El siguiente paso fue el Maracaná. Pero antes de contar mi sensación de pisar el césped del entonces mayor estadio del mundo, el reto más desafiante en el trayecto de la Iglesia hasta ese momento, comparto mis experiencias al lado de Edir como un hombre determinado en saber lo que quería, desde el principio.

Tengo el hábito de contar que fui la primera testigo del idealismo y del perfil visionario de mi marido. Las historias oídas por muchos hoy, sobre que él afirmaba, con todas las letras y envuelto por una certeza categórica, que la Iglesia se esparciría por decenas de países y de que tendríamos emisoras de televisión y radios para difundir el Evangelio, cuando aún reunía a media docena de personas, son la más pura realidad.

Edir siempre vivió esa creencia. Yo oía continuamente sus palabras de perseverancia. Para él, nunca hubo tiempos difíciles. Jamás era momento de desanimarse o de desistir. Cuanto más esfuerzo, más certeza tenía de que iba a tener éxito.

— Estoy seguro de que Dios va a bendecir, Ester — me repetía, al encontrarse con cualquier obstáculo en el camino.

Perdí la cuenta de cuántas veces concurrí a sus reuniones en la funeraria y, luego, a los edificios mayores hacia donde la iglesia se trasladó, también en la misma Avenida Suburbana, en Río, donde profetizaba el crecimiento inigualable de la Universal. Recuerdo un culto de miércoles a la mañana, con menos de diez personas, en el que afirmó que antes del final de aquel año, tendríamos un horario para el programa de televisión. Apenas lográbamos pagar al día el alquiler de aquel lugar y él expresaba esas palabras de confianza.

Y sucedió: después de algunos meses estando solamente en radio, surgió la oportunidad de la televisión. Era un tiro de mayor alcance.

— Ester, mira lo que Dios ha hecho en la Iglesia. Son muchos testimonios maravillosos. Cada día aparece un milagro más fuerte que el otro. Ahora imagínate mostrar el poder de Dios en un medio de comunicación que alcance a todo Brasil. ¡Va a ser un éxito!

Yo lo admiraba en cada gesto.

La idea revolucionaria de evangelizar a través de la televisión ocurrió en la extinta TV Tupi. Yo estaba en los estudios de la emisora el primer día en que Edir presentó el programa «El despertar de la fe». Por increíble que parezca, no aparentaba estar nervioso. Se mostraba seguro delante de las cámaras, usando siempre la técnica de la improvisación. Edir grababa personalmente los programas en el barrio de la Urca, en Río, donde continué acompañándolo, sentada frente a él, observando todo de cerca. Su lenguaje simple e incisivo atraía la atención de los telespectadores.

Yo también llegué a participar en algunos programas de televisión, más adelante, ya en Red Record. Aunque no me sienta tan cómoda como él frente a las cámaras, eran presentaciones especiales junto a mi esposo para transmitir aprendizajes sobre la familia y el matrimonio. La repercusión siempre fue excelente. Eso se repitió, de tiempo en tiempo, en las últimas décadas.

Muchas veces, mi participación también tenía como objetivo relatarle al público nuestra trayectoria de superación. Yo iba en contra de mi forma tímida de ser, me ruborizaba, pero, aun así, no dejaba de dar mi testimonio. A veces, necesitamos ir en contra de nuestra forma de ser para agradar a Dios. Es un enorme placer para mí hablar de lo que Dios realizó en nuestras vidas.

Desde entonces, mi marido jamás abandonó la televisión para la prédica del Evangelio en la atención a los necesitados. En la radio, el mismo trayecto: actualmente, son centenas de horas de programación diaria en diferentes emisoras compuestas por Red Aleluya. Hasta hoy, Edir dedica parte de su día, regularmente, para grabar su programa transmitido a todo Brasil y a otros varios países. En San Pablo o cuando estamos en un viaje misionero, el momento de la grabación es hora de silencio en casa. Yo misma recorro los ambientes avisándoles a todos sobre los minutos de concentración de mi marido. Es como si yo también formara parte del equipo por detrás de aquel programa. En ese caso, mi función siempre fue y será la de preparar el ambiente, pero, a veces, le vuelvo a leer versículos bíblicos para que Edir pueda usarlos al hablar sobre ciertos temas.

De vuelta al decisivo día de la concentración en el Maracaná, recuerdo aquel momento como si fuera hoy. El Gimnasio del Maracanãzinho no soportaba más el tamaño de la Iglesia. Edir sabía que ya teníamos estructura para esa prueba de coraje. Un Viernes Santo, tradicional feriado religioso, más de doscientas mil personas tomaron las tribunas del estadio, tres horas antes del inicio del evento. Muchas familias llegaron con los portones aún cerrados.

En los estacionamientos se alineaban autos y ómnibus pertenecientes a caravanas. Nunca antes, ningún movimiento religioso, había logrado colmar el Maracaná.

Cuando vi a mi esposo entrando al césped y miré alrededor del estadio, mi corazón latió más fuerte. Banderas y carteles de la Universal, de diferentes lugares, esparcidos en todas las direcciones. Obreros y pastores alineados entre el increíble aglomerado de gente. Ni siquiera un espacio vacío. Vi a Edir caminando lentamente en dirección al improvisado Altar. Los aplausos y los cánticos a coro en la voz de miles de personas llenaban mis ojos de lágrimas.

Al recordar ese escenario hoy, revivo una fuerte satisfacción interior. No por la vanidad de colmar el estadio, sino porque Dios había contado con nosotros. ¡Valió la pena todo el sacrificio!

Recordando los días de la glorieta o del evento en el Gimnasio del Olaria, en medio a tantas luchas e impedimentos, veo lo pequeñito que comenzamos al lado de las innumerables situaciones extraordinarias vividas por la Iglesia. Fueron triunfos fuera de lo común. Una galería de conquistas que no me pertenecen a mí ni a mi esposo. Los méritos vienen de lo Alto.

Sola por el mundo

—Ester, tenemos una gran oportunidad de conquistar el mundo para nuestro Dios. Todo lo que Estados Unidos lanza, sale por todo el mundo. Imagínate si llevamos esta fe hacia allá. Mucha gente en aquella tierra no conoce la fe que vivimos. Necesitamos dejar todo aquí para comenzar una vida nueva en América — afirmaba Edir, en una conversación solo entre nosotros, cuando aún vivíamos en Río de Janeiro.

Así, comenzó una de las fases más difíciles vividas por mí en nuestra jornada internacional desde el origen de la Iglesia. Mi gran desafío de enfrentar la vida en una tierra distante de donde nací y fui criada. Imposible olvidar la fecha: final de septiembre de 1986.

Mi marido decidió que viviríamos en Nueva York para dar los primeros pasos de la Iglesia en territorio norteamericano. Edir confiaba en que el éxito de la Universal en el país más poderoso del mundo irradiaría el crecimiento hacia todos los continentes.

—Yo creo en eso. Pero, ¿y las niñas? ¿Se van a adaptar? Nunca viví lejos de mi familia — ponderé.

—Todo va a salir bien, Ester. Dios está con nosotros.

—Tengo certeza de eso.

De hecho, nunca había salido de Brasil ni había dejado a mi familia por tanto tiempo. La despedida de Río, días antes de la partida, es un triste recuerdo para mis hijas y para mí. Hasta ese momento, las niñas pasaban la Navidad en familia, al lado de sus abuelos, tíos y muchos primos de la misma edad, y eso se terminó de un día para otro. Dejamos de convivir con nuestros parientes desde la partida hacia Estados Unidos. Las chicas recuerdan esos instantes de diversión y amistad hasta hoy. Nuestros lazos familiares fueron prácticamente rotos allí, generando cierta tristeza en las niñas. Sin contar que, además, ya estábamos bien establecidos en esa época. Las niñas estaban en una muy buena escuela, vivíamos bien, habíamos alcanzado un cierto bienestar, además de la llegada de un nuevo miembro a la familia, que voy a relatar más adelante. Todo estaba tan organizado en nuestras vidas que, por primera vez en mi vida, tuve un hogar decorado de la manera que tanto quise.

El cambio estuvo repleto de trastornos para mí. Los sacrificios se multiplicaban a medida que los días pasaban en Nueva York. Mi rutina cambió completamente. Ni siquiera hablábamos la lengua todavía, y ya estábamos viviendo en aquella ciudad fría. Llegamos en pleno invierno y, gracias a Dios, tuvimos la ayuda de un matrimonio que Él puso en nuestro camino en aquella época: el pastor Forrest y su esposa Mary Ann.

Ellos no hablaban portugués, entonces, nuestra comunicación era muy limitada. Después de vivir un mes en un departamento-hotel muy pequeño, sucio e incómodo para el tamaño de nuestra familia, ellos nos ofrecieron su propio hogar para vivir mientras nosotros encontrábamos nuestra casa. Cuando llegamos, habían preparado su propia habitación para nosotros. Nos sentimos avergonzados, intentamos comunicarles que no era necesario que hicieran eso, que dormiríamos con los niños en el cuarto de huéspedes, pero ellos insistieron.

Fue Mary Ann quien pacientemente me enseñó sobre las mejores marcas de productos del mercado. Aun sin comunicarnos bien, ella tenía mucha paciencia. Eran como ángeles enviados por Dios. Eran mucho mayores, pero nos respetaban como si fuéramos los que teníamos más experiencia. Ambos habían visitado nuestra Iglesia en Brasil y se habían admirado por el trabajo, al punto de ceder su propia iglesia para que hiciéramos lo mismo en Nueva York. Ellos llegaron a ofrecerse para ser nuestros auxiliares. Su humildad y fe fueron admirables. También habían sido muy perseguidos por otros pastores que pensaban que era un absurdo lo que habían hecho, e incluso por algunos de sus hijos, que no aceptaron el paso de fe que habían tomado. Nos quedó claro a Edir y a mí que ellos eran enviados de Dios para nosotros.

Un mes después, conseguimos una casa en el interior de Nueva York, un poco alejada de la ciudad. Nueva York ya era peligrosa en esa época y no queríamos que nuestras hijas crecieran en un ambiente hostil de pandillas y drogas. Además, todo era muy caro en la ciudad, mientras que en el interior era más económico, después de todo, estábamos comenzando de cero. Conseguimos una escuela para nuestras hijas sin que necesitara llevarlas personalmente. La propia escuela tenía transporte público, lo que me ayudaba a quedarme con Moisés, aún bebé en aquel tiempo.

Cuando mi marido se iba a hacer el curso de inglés y a practicar lo poco que sabía en pequeñas reuniones de la Iglesia, yo tenía que arreglarme sola. Hacer compras en el supermercado, elegir un medicamento en la farmacia y tomar un ómnibus comenzaron a ser enormes obstáculos. Yo aún no hablaba inglés y no había nadie que me enseñara o que me diera consejos sobre cómo suplir las necesidades de la casa en un país extraño. Comenzar todo desde cero en otro lugar, con un idioma diferente, con dos niñas en edad escolar y un bebé con menos de un año, no fue una tarea simple.

Para agravar la situación, yo además enfrentaba el dolor y la añoranza de haber perdido a mi padre poco tiempo atrás. Además de sentir la falta de él, con quien era muy apegada, la preocupación por mi madre, ahora viuda, ocupaba mis pensamientos. Ella necesitaba mi atención de cerca en aquellos meses difíciles, en los que aún lloraba la pérdida de su marido. El día en el que le di la noticia sobre nuestra mudanza definitiva a Estados Unidos, fue un disgusto. Para ella y para mí.

Para empeorar, el inicio de la Iglesia en Nueva York fue muy duro.

Inmediatamente Edir comenzó a hacer cultos en un templo en la Isla de Manhattan, en un lugar degradado de la Tercera Avenida y, en ese entonces, con altos índices de violencia. Él dirigía la prédica en español en el piso de arriba del inmueble con poquísimos frecuentadores. La cantidad de fieles demoró en crecer. Y como continúa siendo hasta hoy, Edir predicaba con el entusiasmo de quien parecía tener a miles de personas en la iglesia. Llegamos a ofrecerles el almuerzo gratuito después de algunas reuniones. Cada miembro llevaba un plato para el almuerzo, era un hábito que la iglesia del pastor Forrest tenía en aquella época. Yo ayudaba en la comida mientras mi marido distribuía folletos por la ciudad.

En uno de los primeros cultos de domingo, Edir comenzó con una propuesta diferente:

— Quien desea recibir el Espíritu Santo, venga aquí adelante, por favor.

El salón parecía un velorio.

Nadie dio un solo paso en dirección al Altar. Había allí como máximo quince personas. Salí de mi lugar con las niñas y recibimos la oración.

En ese período, yo lloraba prácticamente todos los días, siempre a escondidas. Estábamos acostumbrados a los templos colmados, a concentraciones repletas de gente en Brasil, pero en Estados Unidos la vida era otra. La Iglesia era demasiado fría por mayor que fuera el esfuerzo de mi esposo en predicar la Palabra de Dios. Yo sentía el prejuicio por parte de algunos antiguos miembros simplemente por ser de América del Sur. Incluso, la discriminación en contra de nuestra nacionalidad era algo común que enfrentábamos en Nueva York. Cuando intentaba hablar en inglés, nadie se esforzaba por entender, era muy humillante. Ese comienzo se volvió tremendamente difícil.

Una noche de viernes, al dirigirme a casa, después de salir de la Iglesia, no contuve el llanto. Tuve una reacción repentina y expuse mi tristeza por vivir allí. Las lágrimas simplemente salieron porque estaba atravesando dificultades más allá de mis límites. No aguanté tolerar más. El agua había rebosado.

Edir no entendió. Frente a la reacción de sorpresa de él, me desahogué:

—Ah, no me conformo. Dejamos la Iglesia en Brasil con más de dos mil miembros y aquí solo hay media docena de personas. No se puede, Edir. Hay almas que nos necesitan en Brasil.

—Calma, Ester, Dios nos va a honrar. No mires los números. Todo sucederá en el momento indicado.

El calendario parecía demorarse en pasar en Nueva York.

Para empeorar, la Navidad que normalmente pasábamos en familia en Brasil pasó como un día común para nosotros, como si fuera una fecha cualquiera. Mis niñas y yo llegamos a ir al shopping a comprar ropa nueva, solo para la cena de Navidad en la Iglesia, en compañía de las pocas personas que estarían allá. Al llegar, todos estaban vestidos como si nada estuviera sucediendo ese día. Las niñas y yo nos sentimos totalmente inadecuadas frente a las demás personas. Una rutina más que sacrificamos allí. Sin nuestros parientes, sin nuestros amigos, sin nuestra lengua, sin el afectuoso pueblo de Río, sin fechas especiales.

Uno de los pocos aspectos positivos de ese período, por lo menos, fue el hecho de que mi marido lograra estar más cerca de la familia. Puedo decir que las chicas conocieron a su padre en esa época. Cines, parques, caminatas por las calles. Los paseos eran los más diferentes posibles. Todos nos volvimos aún más afectuosos unos con los otros porque pasábamos mucho tiempo juntos. Inclusive cuando nos perdíamos en las calles de Nueva York y Edir se veía obligado a enredarse con la lengua para hablar inglés, con las niñas a carcajadas en la parte de atrás del auto, ¡fue muy bueno! Mi marido paraba el auto para pedir una dirección y lograba hablar solo dos palabras en inglés. Cuando la persona le daba la dirección, entendía solo la primera instrucción: doble a la derecha. Después de doblar a la derecha, él paraba de nuevo para preguntar y, así, nos perdíamos de barrio en barrio. Era una diversión. ¡Qué maravilloso es Dios! Siempre provee un atajo para nuestras dificultades. Si no fuera por esos momentos de recreación en familia, ¿qué hubiera sido de nosotros?

La primera vez que nevó en nuestra casa fue otro dulce recuerdo.

— ¡Papá! ¡Mamá! ¡Miren la ventana! Está nevando — gritaban las chicas, sonrientes, contando los segundos para jugar en el patio.

Sin embargo, lo que realmente predominaba era la nostalgia por Brasil. Cristiane, Viviane e incluso Moysés parecían notar la frustración de su madre. Es muy probable que mi insatisfacción por vivir allí haya llegado a influenciar a nuestros hijos, al punto de que Cristiane y Viviane enfrentaron problemas de adaptación continuos en la escuela. Ellas también tuvieron barreras para amoldarse al estilo de vida americano. La comida, los métodos de enseñanza, la falta de amigos. Las niñas y yo esperábamos con entusiasmo a que las vacaciones escolares llegaran rápido para poder viajar de regreso a nuestra tierra.

Nuestra primera experiencia de vivir en el exterior duró aproximadamente cuatro años. Regresamos a Brasil después de la adquisición de Red Record, en 1990. La empresa y la Iglesia necesitaban a Edir cerca. Solo era el comienzo: años después, dedicaría mi vida a una cantidad sin fin de viajes misioneros por los lugares más distantes del planeta. Más que un esfuerzo por la Obra de Dios, como lo voy a contar en el capítulo «¿Qué mujer lo suportaría?».

Aún allá atrás, en el elenco de los viajes memorables, esta vez solo con buenos recuerdos, la primera vez que pisé Israel significó una experiencia única para mí. Piense en alguien, criado desde la infancia oyendo las historias bíblicas de los padres y abuelos, imaginando los lugares donde todos esos pasajes maravillosos ocurrieron de verdad. Fue inolvidable conocer Tierra Santa en 1981. Incluso, viví allí, también en otras visitas posteriores, diferentes momentos guardados para siempre en mí.

Cada regreso, espiritualmente, es como si fuera la primera vez. El propio Dios nos dice algo especial en los lugares sagrados de Jerusalén. El Monte Moriah, el Muro de los Lamentos, la Fuente de Gedeón, el Jardín de los Olivos, el Río Jordán, el Cenáculo. Recuerdo una Santa Cena celebrada por Edir en el Santo Sepulcro, cuando hicimos una de las primeras caravanas de la Iglesia, con la participación de fieles de diferentes naciones. Su mensaje sobre la resurrección conmovió a todo el contingente.

Más recientemente, también recuerdo nuestra subida al Monte Hermón, la montaña más alta del territorio israelí. Yo estaba junto a mi marido cuando levantó sus manos para bendecir al pueblo de Brasil determinando el descenso del Espíritu Santo. En el mismo momento, observé a pequeños pájaros rodeando al monte, justo arriba de nuestra posición. El sobrevuelo de esta especie de animal es raro en aquella altitud.

En cada una de esas visitas, siempre unimos un clamor por la paz en Israel. Inclusive, cada vez que vamos a Israel, es como si estuviéramos volviendo a casa. Es un hogar espiritual para nosotros. Edir ya ha sido recibido por las principales autoridades de ese país, recibió un homenaje del entonces alcalde de Jerusalén, Ehud Olmert, quien ya ocupó el cargo de primer ministro de Israel, y ya se reunió con el entonces ministro de Turismo, Moshe Katsav, ex presidente del país, y el primer ministro israelí, Benjamin Netanyahu. Para nosotros, fue una honra. Tenemos mucho cariño por esa nación y siempre oramos por ella.

El Monte Sinaí, en el desierto de Egipto, es otro lugar con un simbolismo especial para mí en aquella región del planeta. Realizamos juntos algunas sacrificadas escaladas a la cima de la montaña. En una de esas subidas, estuvimos tres días con alimento solo a base de pan y agua, en la compañía de otros compañeros de púlpito, además de los beduinos, habitantes locales. Nos turnamos para cumplir la promesa de orar de hora en hora por el pueblo de la Iglesia. Tuve una de las visiones más espectaculares del cielo, lleno de estrellas, allí, en medio de la madrugada. El horizonte avistado desde el mismo punto de vista de Abraham.

La comida era preparada por los beduinos: pan cocido en el momento, sobre el piso de piedra. Las uñas sucias y enormes se transformaron en un problema para mí. Estuve casi dos días sin comer. Solo acepté un pedazo de pan después de que Edir lo preparó y lo empapó en aceite. Fueron más de cuatro horas de caminata en un terreno empinado y repleto de piedras. En cierta parte de la subida, mi marido se tropezó y se lastimó la pierna, que le empezó a sangrar en el momento. No desistimos de llegar hasta la cima.

Otra subida peligrosa ocurrió, pocos años antes, cuando el camello que cargaba a Edir giró repentinamente. En un acto reflejo, uno de los obispos lo agarró de la camiseta y evitó que cayera al precipicio. Yo grité al instante. Fueron cinco horas más de una dura caminata después del susto. La verdad es que cada vez que tenemos algo grande por realizar, suceden cosas de ese tipo para amedrentarnos.

Recuerdo, como si fuera hoy un episodio que ocurrió en el mismo lugar. Edir caminó cargando debajo de sus brazos pilas de hojas con las acciones criminales en su contra y en contra de la Iglesia Universal. Subimos el Sinaí en lágrimas. En la cima del monte, al lado de obispos y de sus esposas, Edir extendió los procesos hacia lo alto y clamó por el libramiento. A su lado, uní mi fe en oración.

Hoy, todas las acciones y averiguaciones judiciales fueron vencidas y quedó probado ante la Justicia que no tenían ningún fundamento. Sin embargo, vivir cada una de las persecuciones no fue una misión simple. Solamente recordar todo lo que mi marido, nuestros hijos y yo atravesamos me provoca una sensación amarga.

Las próximas páginas llegan marcadas por el dolor.

CAPÍTULO 4

Dolores arraigados

«Casada con un delincuente»

Humillación y odio siempre fueron palabras muy distantes para mí. Como conté, nací y fui criada en una familia cristiana donde se valoraba la convivencia armoniosa con las diferencias y el tratamiento cordial con cualquier ser humano, independientemente de la condición social, del nivel de educación o, inclusive, de la religión. Nunca vi a mis padres levantarle la voz a otra persona. Ni siquiera afirmar que sentían enojo o desprecio por alguien. Expresiones como esas agredían mi manera de pensar. Solo de oírlas ya me provocaban la sensación de que herían mis principios.

Imagínese, entonces, lo que significó para mí enfrentar una ola de violencia injusta y de ataques infundados, con las más crueles formas de insultos, solo por ser esposa de un hombre de Dios. Solo por compartir la vida con alguien cuya intención sincera siempre fue la de socorrer a quien se considera perdido, solo por ejecutar un mandamiento bíblico. Tal vez nunca nadie será capaz de comprender todo lo que viví durante ese período de persecuciones.

Las acusaciones eran de todo tipo, surgían cuando menos lo esperábamos, y comenzaron mucho más fuertes con el crecimiento de la Universal por todo Brasil. Miles de vidas estaban siendo restauradas, decenas de pastores levantados para auxiliar a Edir, nuevos templos surgiendo de norte a sur del país. El precio de todo eso fueron el prejuicio y las calumnias. Y tomó proporciones inimaginables inmediatamente después de la decisión de comprar Red Record.

Antes de eso, los primeros ataques ya habían comenzado. Yo sabía que la Palabra de Dios prevé injurias y mentiras contra los que profesan la creencia en el Dios de Abraham, de Isaac y de Israel, pero vivir esos momentos no es algo simple, lo confieso. Tuve que ser firme para soportar situaciones de total humillación y, al mismo tiempo, estar al lado de mi marido como una compañera inquebrantable en el ojo del huracán. No fue natural presenciar que el hombre a quien amo fuera blanco de un show de acusaciones. Un verdadero linchamiento público también me alcanzó, transformando en una pesadilla a mi rutina como mamá y responsable por los cuidados de la casa.

De un día para otro, la foto de Edir comenzó a ser impresa en la portada de los periódicos. «Curandero», «Estafador», «Engañador» y «Embaucador» eran algunas de las palabras que ocupaban los titulares. Enseguida, comenzaron las burlas y las bromas en la calle y una ola de furia por parte de mucha gente con quienes nunca había siquiera intercambiado una palabra. Al caminar por las calles del barrio, al principio, comencé a notar las miradas maliciosas de personas que formaban opinión por los comentarios del noticiero tendencioso. Eran lugares que yo frecuentaba normalmente en el día a día, cuando me quedaba en casa para cuidar a Cristiane y a Viviane.

— Pobrecita. Tiene un marido delincuente... — oí cierta vez, de pasada, a dos mujeres susurrando en la farmacia.

Fingí no haber escuchado para evitar una discusión. No tengo malos ojos. Por momentos me considero incluso demasiado inocente.

Cuando iba al supermercado de la zona, en el momento de dar la dirección para la entrega de las compras, siempre pasaba la misma vergüenza.

— Edir Macedo, sí... —leía el cajero, en voz alta e irónica.

Y terminaba el sarcasmo:

— Este lugar es donde está aquella Iglesia que le roba al pueblo. ¿Verdad?

En las tiendas de los shoppings de Río de Janeiro, durante mucho tiempo fue así. No había otra opción para comprar ropa de calidad en la ciudad. En el instante en el que yo completaba el registro o presentaba un cheque o una tarjeta de crédito, la reacción era inmediata. Una gerente de una tienda de ropa de marca no ahorró groserías.

— ¿Ese ladrón? ¿Ese delincuente? Odio a ese hombre.

Yo nunca respondía. Solo me callaba y dejaba el comercio, siempre que fuera posible, sin comprar nada.

Mucha gente, sin saber que yo era la esposa de Edir, también lo atacaba gratuitamente, como varios taxistas que me llevaron hasta la antigua Avenida Suburbana, lugar de la sede de la Iglesia. Los que no criticaban abiertamente, casi siempre dejaban escapar una mirada maliciosa. Viví situaciones semejantes, inclusive, con gente conocida por nosotros. No obstante, en el fondo, parecía que ellos mismos no creían en los propósitos de mi marido de servir a Dios. Llegué a oír de parte de ellos: «Allí viene la rica». Si ellos pensaban así, concluía, imagínese lo que los de afuera razonaban de malicias.

Cuando visitaba a mis parientes, inmediatamente pasaba por mi cabeza la vergüenza de ser la única de las hermanas cuyo marido no era respetado por nadie en ese momento. Llegaba a la casa de mis padres, con mis hijas, cargando algunos de esos tormentos. ¿Acaso mi mamá leyó el periódico de hoy que acusa a Edir de ser «marginal»? ¿Acaso ella sabía todo, pero no deseaba avergonzarme? ¿Habrá visto mi padre en la televisión el largo reportaje queriendo incriminar a mi marido, oyendo a los policías y a los jueces atacando nuestra honra? ¿Las declaraciones de las autoridades condenando el trabajo de fe de Edir, rotulándolo de delincuente sin escrúpulos formaría la opinión de mis hermanos? ¿Sabían todos sobre mi vergüenza, pero se callaban para evitarme el dolor?

Por tener una familia evangélica, también pensaba sobre la manera como me veían desde el punto de vista espiritual. ¿Tendrían ellos la convicción sobre nuestra sinceridad en hacer la voluntad de Dios? ¿Comprenderían que tanto mi marido como yo estábamos dispuestos a pagar el precio de ser perseguidos? ¿Sentirían tristeza al ver a su hija humillada en las calles debido a su convicción? ¿Cómo nos veían bajo el punto de vista de su creencia? Es cierto que los comentarios en las iglesias frecuentadas por mis familiares eran inevitables, aunque no creo que mis padres y mis hermanos hablaran mal de nuestra fe.

Nadie tocaba el tema conmigo. Una única vez, mi hermana mayor contó que había defendido a Edir durante un traslado en taxi. Al dar su opinión sobre la Iglesia, el conductor insultó a mi marido diciéndole «ladrón». Mi hermana alegó que nos conocía, que sabía quiénes éramos y que el taxista estaba completamente equivocado sobre su cuñado. En el mismo momento, se bajó del taxi.

No tengo duda de que esa imagen negativa, que llegaba a alcanzar a mi familia, se debía a la enorme cantidad de reportajes negativos que crecían cada día. Ideas y conceptos maliciosos divulgados y exhibidos repetidas veces, muchas veces apelando con descaro a la mentira. Tesis bobas y argumentos infantiles contra la fe practicada en la Universal, que algunas veces todavía intentan resucitar.

Recuerdo un programa horrible de la quebrada TV Manchete. Durante más de una hora, Edir fue tildado de fanático al frente de una Iglesia repleta de miserables. El trabajo de liberación espiritual, indirectamente, fue rotulado de farsa. Incluso falsos miembros nos criticaban. Después, apareció la invitación para participar en el programa de una conductora, en ese entonces famosa, en el SBT. Inocentes, creímos que la participación sería una oportunidad para que las personas conocieran la Iglesia, pero, en realidad, fue una verdadera trampa para Edir. Ex frecuentadores enmascarados, gente contratada por la producción, inventaron historias absurdas y sin pie ni cabeza. Edir intentaba defenderse, pero los productores estimulaban a la platea a abuchearlo.

Fue muy difícil ver a mi marido humillado públicamente.

Con el pasar del tiempo, lo que eran solo ataques en los periódicos y en la televisión se transformaron en procesos y acciones criminales. Recuerdo haber llegado a recibir, por semana, dos o tres visitas de oficiales de justicia en casa para entregarnos intimaciones. Los motivos alegados eran los más insensatos posibles. Cualquier nueva publicación en los medios de comunicación, se convertía en un proceso judicial. Una revista contenía una entrevista calumniadora de un miembro apartado de la Iglesia y, sin pruebas, los jueces inmediatamente acataban los pedidos de investigación criminal.

La policía también comenzó a actuar así. Éramos mal vistos por los policías de todas las esferas y siempre tratados con agresividad. Ellos también aparecían en mi casa, repentinamente, en los horarios más impropios, como si fuéramos delincuentes forajidos. Cierta vez, un delegado de San Pablo golpeó nuestra puerta antes de las seis de la mañana. Me desperté asustada, sin entender lo que estaba sucediendo.

— ¿Qué pasó, Edir? ¿Qué quiere la policía en nuestra casa a esta hora?

— Un oficial dice que tiene una denuncia de que nuestro auto es ilegal, no cobraron el impuesto. Quiere ver el vehículo en el garaje — me respondió, perplejo, con la cara aún hinchada por el sueño, antes de llevar a los policías adentro del edificio.

Obvio que descubrieron que el asunto era responsabilidad del propietario que nos había vendido el auto y que mi marido no tenía absolutamente nada que ver con aquello. Finalmente, averiguaron que el vehículo estaba totalmente legalizado.

Había momentos en los que no lograba ni siquiera preparar nuestra comida con tranquilidad. Vivía bajo una tensión constante. El almuerzo y la cena con mi esposo y mis hijos transcurrían con aprensión. Parecía que ya lograba ver la hora en la que el teléfono iba a sonar, arruinando nuestro momento en familia, robándole la paz a Edir. Cada llamada telefónica me traía la expectativa de un nuevo problema. Y era lo que en realidad ocurría. Abría el buzón del correo pidiéndole a Dios que no le surgiera un nuevo dolor de cabeza a mi esposo. Algunas notificaciones judiciales llegaban por corresponden-cia. Era imposible tener algunos instantes de tranquilidad.

A veces, en el medio del desayuno en familia, recibíamos la visita sorpresa de uno de nuestros abogados o pastores. Edir se le-vantaba rápidamente de la mesa, dirigiéndose a una conversación reservada en su oficina, o me pedía que me llevara a los niños a la habitación. Yo me encargaba de distraer a Cristiane, a Viviane y a Moysés. Mientras conversábamos allí, mi preocupación estaba dirigida totalmente a Edir y a una probable nueva dificultad que se levantaba en contra de nosotros.

Retirados en nuestra habitación, a solas, Edir y yo hablábamos abiertamente sobre las persecuciones cada vez más frecuentes y siempre con mayor intensidad. Él se mostraba inconforme.

— ¡Caramba! No me entra en la cabeza. Nosotros solo queremos ayudar a las personas. Solo eso. ¿Por qué tantas mentiras? ¿Por qué tantas agresiones? ¿Por qué tanta gente en contra?

Buscando serenidad, intenté calmarlo:

— Calma, querido. Es una guerra. En el tiempo indicado vas a vencer. Jesús dijo que seríamos perseguidos, pero que nuestro galardón en el cielo será grande. Estamos ayudando a las personas, es eso lo que importa.

No era fácil poner mis palabras en práctica.

El mensaje de confianza transmitido a mi marido servía, an-tes que nada, para mí. Yo me sentía profundamente triste al verlo decaído, aun habiéndome preservado de muchas situaciones de vergüenza, simplemente al no contarme los insultos surgidos en su día a día.

— No quería dejar a Ester aún más preocupada. Ella tenía las responsabilidades de la casa, de la crianza de los niños, y me sentía mal cuando se entristecía. Era como si yo estuviera triste — cuenta Edir, en los días actuales.

Sin embargo, era imposible que no me envolviera con el clima de injurias en contra de él. Sobre todo, porque conocía su sinceridad desde los primeros pasos como predicador del Evangelio y de su mayor anhelo de extenderles las manos a los abatidos. No obstante, el odio de quien nos perseguía era implacable.

Lo que quedaba claro era la existencia de un proyecto mayor, con la intención de sofocar a Edir con tantos procesos, investigaciones, averiguaciones, citaciones judiciales, redadas policiales, notificaciones. Un complot para el fin de la Universal y de mi esposo. Intentaron destruir a la Iglesia, a nuestra familia, a nuestra paz. Honestamente, si no hubiera sido por nuestra fe, no sé si yo estaría aquí para revelar estas historias.

«Pero, ¿por qué tantas persecuciones?», el lector se debe preguntar. Es difícil inclusive de explicar. El trabajo que Edir hacía y que continúa haciendo es un trabajo espiritual y quien no es espiritual termina teniendo dificultades para entenderlo. La cura es por la fe, las ofrendas que las personas dan son por la fe, el trabajo es de fe.

¿Cómo pueden existir personas que deduzcan que las ofrendas dadas para que este trabajo crezca son para nuestro bolsillo? ¿No sería más fácil, entonces, tener una sola iglesia para que tuviéramos menos gastos y más ganancias? No tendríamos tantos dolores de cabeza. Tendríamos nuestra iglesia, nuestros miembros, nuestra pequeña vida asegurada, que probablemente nos proporcionaría mucho más lujo del que tenemos hoy. No viviríamos en el piso de arriba de las iglesias, que, en general, se encuentran en barrios simples de la ciudad. Tendríamos nuestra casa en un barrio privado, en un barrio residencial. No habríamos sacrificado tanto, mantendríamos una vida tranquila con una rutina que despertara envidia. Pero, no, no es así.

Yo vivía preguntándome cómo muchos no logran ver todo lo que sacrificamos diariamente por las personas. ¡Cuánta injusticia!

El prejuicio que los medios de comunicación propagaron en contra de nosotros hizo que el pueblo brasileño nos odiara prácticamente gratis. A veces, en esa época, llegaba antes de la hora del culto y me sentaba en las últimas butacas para observar la entrada de las personas. En pocos minutos, eran mil, dos mil miembros en la Iglesia de Abolição. Cuando mi marido aparecía en el Altar, el espacio estaba abarrotado, con centenas de pie. El efecto se repetía en las decenas de templos ya abiertos en todo Brasil, en pleno período de ataques. Miles de familias rescatadas, jóvenes transformados, personas libres de sus tormentos, conquistando esperanza y una oportunidad de recomenzar.

Era un alivio. Pero lo que parecía una tempestad en contra de nosotros, iba a empeorar con la conquista de Red Record.

La oportunidad para mi marido surgió cuando aún estábamos en Nueva York, al recibir una llamada telefónica de Paulo Roberto Guimarães, el entonces obispo responsable por la Universal en Brasil y uno de los primeros miembros del tiempo de la antigua funeraria. Al cortar la llamada, noté el deseo de Edir.

— Ester, es nuestra gran oportunidad. No se puede calcular cuántas personas podremos alcanzar con una emisora de televisión. Cuántos rescatados, cuántas vidas recuperadas. La Obra de Dios jamás será la misma.

Yo lo apoyé inmediatamente.

Comenzaba nuestra dolorosa travesía.

Yo necesitaba ser fuerte

En los días siguientes a la llamada de Paulo Roberto, volvimos de prisa desde Nueva York a San Pablo. Casi no tuve días suficientes para providenciar la mudanza y arreglar las valijas. Fue un gran trajín. Al llegar a Brasil, vi poco a mi marido. Él pasaba todo el día aislado en reuniones con abogados y ejecutivos tratando la compra de Red Record. Acompañaba el curso de las negociaciones en conversaciones puntuales en el desayuno o cuando almorzábamos o cenábamos juntos. Su fe estaba más avivada que nunca.

Yo vivía extremadamente ocupada. Con la mudanza, teníamos que organizar la vivienda, la escuela para las niñas, los documentos y cuidar la nueva rutina. Al principio, nos fuimos a vivir a la casa de un pastor responsable por la Iglesia en San Pablo. Nos quedamos allí algunos meses y, sinceramente, no fue nada fácil. Primeramente porque no estábamos instalados en nuestra propia casa, vivíamos con otra familia con dos hijos pequeños. La rutina y la educación de ellos eran muy diferentes a las nuestras y, por más que intentáramos al máximo no incomodar su privacidad, eso era imposible.

Ese pastor no respetaba a Edir. Tenía un comportamiento diferente al de los demás pastores. Vivía enojado, como si nos estuviera diciendo que éramos intrusos allí, en su hogar. Sus hijos no se llevaron muy bien con Moysés. Mi hija Cristiane comenzó a tener crisis de bronquitis asmática constantemente. Y Vivi no lograba pasar los exámenes para entrar a la nueva escuela. Tenía que encontrar un nuevo hogar urgente, para el bien de todos, especialmente en medio de tantas persecuciones también de afuera.

Con el pasar de los meses, ya con el acto de compra efectivizado, observaba a Edir tenso por los pagos de entrada para solventar. Recuerdo que los valores, en dólares, eran muy caros. Nuestro país vivía una época de inflación altísima, con la economía completamente descontrolada.

— Estoy intentando renegociar nuestra deuda con Silvio (Santos, en ese entonces uno de los dueños de Red Record), pero él no acepta — me contó preocupado.

Era principios de 1990, más precisamente durante las primeras semanas de febrero. El día del vencimiento de la segunda cuota no había dinero suficiente. Una cláusula en el contrato aún le sacaba el sosiego a Edir: en caso de atraso en el pago, perderíamos la compra de Red Record, además de todo el dinero ya pagado. Más allá de no saber cómo solucionar la deuda de la entrada, inmediatamente comenzaban los préstamos que se traducirían en más cuentas elevadísimas.

Los abogados enviados para negociar con los entonces dueños de Red Record llamaron a casa con una respuesta negativa. No había margen para un pedido de renegociación. No había más que hacer. Ya comenzaba la madrugada.

— Ellos no aceptaron, Ester. Tenemos pocos días para encontrar una salida — dijo Edir, al despedirse rápidamente del abogado.

Desde que comenzó la compra de la emisora, perdimos la paz, por más que yo intentara de todo para mantener la armonía en casa. Encontramos un departamento para vivir en el medio de mucho verde, ya pensando en el alivio a tanto estrés que tendríamos que pasar en los próximos meses. Decoré el departamento a mi manera. Por lo menos allí, Edir se sentiría amado.

Mis hijas no lograron adaptarse a la escuela brasileña debido al tiempo que habían pasado en Estados Unidos, entonces, nos ajustamos un poco el cinturón y logramos poner a Cris en una escuela americana. Por otro lado, Vivi no logró entrar y no pudo estudiar en el mismo lugar. Intentamos buscar otras escuelas para ella, pero cuando descubrían quién era su padre, enseguida rechazaban su entrada. Mi hija dejó de estudiar en tercer año del nivel superior. Para evitar que Cris pasara por el mismo problema, la alerté a que no le dijera a nadie en la escuela quién era su padre. Recién descubrieron de quién era hija un año después.

Los sustos por las malas noticias ocurrían a cada instante. Yo notaba a mi marido abatido, nervioso, pero evitaba los comentarios. Sabía que no era el momento de hablar, solo de oír. Necesitaba tener el comportamiento de una mujer sabia, pero no era tan simple. Mis hijos no necesitaban compartir las mismas preocupaciones. Intenté blindarlos lo máximo posible. No mirábamos el noticiero de las ocho con ellos, no comprábamos el periódico para leer en casa. Y, gracias a Dios, en aquella época, no había Internet.

Buscaba mantener mi mente en su lugar y no demostrar mi ansiedad, así, podía ser el punto de equilibrio de la situación. Pero lo que me angustiaba era ver a mi marido preocupado y sentirme impotente, sin poder ayudarlo. En esa época, ya habíamos superado hacía mucho tiempo nuestra fase de adaptación y, por lo tanto, nos habíamos vuelto una sola carne. Todo lo que le pasaba a él, yo lo sentía en la piel.

Miraba a Edir y veía la tensión reflejada en su rostro. La oración y el llanto comenzaron a ser mis expresiones diarias. Encerrada en mi dormitorio, solo yo y Dios. Conocía sobre las presiones. No tenía la dimensión exacta de lo que le pasaba, por más que estuviera a su lado, pero creía en el poder de la intercesión de la esposa. Notaba que él luchaba, en vano, para encontrar una salida. Honestamente, yo no lograba ver una solución fácil. Estábamos en la dependencia de un milagro.

Los periódicos ya publicaban que la venta de Red Record estaba suspendida por falta de pago. Algunos reportajes llegaban a mí y me entristecían.

En una de aquellas noches, mi marido llegó a casa oprimido y fue directo a la habitación. Permaneció pensativo, atravesando la noche prácticamente en vela. A su lado, la Biblia. Pasó el tiempo meditando, orando. En ciertos momentos, Edir se mantenía por minutos, paralizado, mirando el tamaño de las cuentas. Todo aquello parecía un gran enigma.

Al despertar de madrugada, encontré a Edir solo en la ventana del living de nuestro departamento. Miraba fijo hacia el cielo. El tiempo estaba pesado, las nubes cargadas, con pocas estrellas posibles de avistar.

— ¿Dónde está nuestro Dios? — se preguntaba a sí mismo.

Y se callaba. Yo lo observé durante algunos minutos respetando su instante de soledad.

— Ven a dormir, amor...

— Ya voy. Puedes acostarte, Ester.

Y permaneció contemplando el infinito de la oscuridad, sin expresar una sola palabra.

La mañana siguiente, Edir se levantó temprano y partió hacia la oficina, en el edificio de Radio Copacabana. Estaba inquieto. Andaba de un lado a otro, sin parar, afligido.

— Estaba pensando, Ester. ¿Qué sentido tiene haber llegado hasta aquí y, de repente, perder todo de un momento a otro? ¿Dios va a abandonarnos? ¿Qué está ocurriendo? — exclamaba, con una pregunta atrás de la otra.

Veía un peso dentro de mi marido, algo que lo torturaba, una angustia sombría. De repente, se encerró solo en el baño de la radio. Era la hora de la decisión. Dobló sus rodillas, puso el rostro en el piso y lloró. Hizo lo que estaba a su alcance y decidió entregárselo a Dios:

— Señor, ¡la compra de esa emisora está en Tus manos! Si conseguimos Red Record, ¡muy bien! Si no, ¡paciencia! ¡Si Tú no me ayudas, no voy a hacer nada más! ¡Me rindo!

Edir finalmente se desahogó. Dejó traslucir su dolor en aquel lugar apretado y tan simple.

— Mi Dios, ¡no tengo nada que perder! ¡Tú eres mi testigo! ¡Esto no es para mí!

Después de esa oración, corta y de indignación, en el baño de la oficina, noté el cambio en mi marido. Estaba diferente. Más fuerte, más sereno, más aliviado. La presión en su pecho había desaparecido. Parecía que volvíamos a respirar. No sabíamos con seguridad lo que iba a suceder, pero el Espíritu Santo había generado en nosotros la certeza genuina de la respuesta.

Claro que la situación no se resolvió de inmediato. A lo largo de los siguientes meses, fuimos sorprendidos por la noticia del lanzamiento de un nuevo paquete económico llamado Plan Collor, creado un día después de la asunción del presidente Fernando Collor de Mello. A millones de brasileños les fue confiscado el dinero guardado en el banco. Lamentablemente, oímos decir que hubo personas que se suicidaron al perder los ahorros de toda una vida. El plan obligó a Silvio Santos a aceptar las condiciones de renegociación de la deuda de mi marido, lo que posibilitó el pago de Red Record.

Algunos días después, otra novedad difícil de creer: los abogados informaron que el plan había provocado una caída en el valor de los préstamos debido a la brutal devaluación del dólar. Las cuotas de compra de Red Record, basadas en la cotización de la moneda extranjera, se desmoronaron. Las deudas, antes gigantes, se derrumbaron aquel día y comenzamos a pagar los préstamos con facilidad, al punto de sacar tres en un solo mes. En poco tiempo, mi marido había terminado de pagar la deuda totalmente. Record estaba pagada.

¿Hay manera de dudar sobre el poder de Dios?

El placer era humillarme

Cuando la participación de mi marido como comprador de Red Record se hizo pública, las agresiones se intensificaron. El fuerte tono de discriminación dominaba el noticiero. Comenzaron a investigar nuestra vida, nuestra familia, la Iglesia. Lo más indignante era que ninguna de las calumnias era comprobada, nunca.

En casa, como siempre, yo buscaba mantener la normalidad de nuestra rutina para no asustar a los niños. No era justo que absorbieran el sufrimiento por tanta maldad. Los protegí con todas las fuerzas contando siempre con el apoyo de mi marido. A veces, algunas situaciones escapaban a ese cerco. Fue así desde el comienzo en la adolescencia de las niñas.

— Mamá, ¿por qué dicen que mi papá es un ladrón? — inquirió Cris, curiosa.

Siempre las preparé para que tuvieran respuestas listas frente a los nocivos cuestionamientos de los compañeros y profesores de la escuela. Sabía que eso sucedería, tarde o temprano.

— Hijas, papá pide ofrendas y diezmos obedeciendo a la Palabra de Dios para pagar los alquileres de la Iglesia, los programas de TV y radio, las cuentas en general para la Obra de Dios. Las personas de afuera interpretan mal — les explicaba, didácticamente.

Nuestras hijas nunca sintieron vergüenza de su padre, ni cargaron ningún complejo de inferioridad por eso. Al contrario, muchas veces salían en defensa de la Iglesia, desafiando a los amigos del grupo.

Otro momento que me marcó profundamente fue la vez en la que Cristiane nos encontró llorando en la oficina de la Iglesia, minutos antes del comienzo del culto. A Edir y a mí, los dos juntos, en pleno llanto. Nuestra hija, de entonces diecisiete años, muy feliz por estar comprometida con su futuro marido, vivió el dolor de presenciar esa imagen. Ella no conocía los detalles de tantas persecuciones porque intenté proteger a nuestras hijas al máximo de ese período de agonía. Entendí que la solución era no contarles nada, preservarlas de las humillaciones y de la cruel secuencia de ataques de los cuales éramos víctimas noche y día. En ese momento, el compromiso y las preparaciones para el casamiento de Cris eran un escape, el poquito de aire que respirábamos en medio de tantas olas en el mar.

En los tribunales de Justicia, sufrí personalmente con el tono sarcástico y el desdén de algunas autoridades. Los procesos de acusaciones contra el nombre de mi marido, y a veces incluso en contra del mío, formaban pilas enormes en las oficinas de nuestros abogados, lo que nos forzaba a prestar declaraciones todo el tiempo. Nuevamente, nada nunca comprobado.

Los periodistas se turnaban para acompañar cada uno de nuestros pasos en Brasil, e inclusive en el exterior. Llegaron casi a invadir nuestra casa en Estados Unidos. Cuando miraba hacia un lado, sin siquiera notarlo, me encontraba con un equipo de reporteros detrás de mí. Bastaba un embarque o desembarque en el aeropuerto, y allí estaban los fotógrafos y reporteros. Algunas veces, lo acompañé a Edir en las declaraciones en fueros y tribunales. Era una presión devastadora, como si mi marido fuera la peor persona de Brasil.

Cuando fui interrogada varias veces, la ironía era generalizada. Comenzaba por la burla de la prensa y de hombres y mujeres parados en la puerta del edificio de Justicia. Algunos insultaban, pero casi todos hacían bromas y se reían. Durante una audiencia en el tribunal, una jueza actuó de modo ultrajante conmigo. Ella quería una explicación que yo no le podía dar.

— Entonces, ¿usted firmó este documento?

— Sí, su señoría. Lo firmé.

— Pero, ¿por qué lo firmó?

— Firmé como esposa. Mi marido me explicó que era necesario firmarlo.

— Ah, sí... Usted me está diciendo que su marido la mandó a firmar y usted obedeció. ¿Es así?

— Sí, su señoría.

En seguida, le ordenó al escribano que registrara mi declaración repitiendo mis palabras con un tono muy irónico, riéndose solo con un lado de la boca.

— Anote. Esta señora dijo que no sabía nada de lo que firmaba. Ella no sabe nada... nada.

Sufrimos con la falta de respeto explícita, incluso con la ley de nuestro lado. Como el día en el que un grupo armado de policías civiles, con ametralladoras y revólveres apuntados a los miembros y obreros, interrumpió nuestro culto en la Universal de Brás. Invadieron la oficina, rompieron armarios y confiscaron carpetas y documentos. Uno de los obispos de esa época fue llevado esposado para declarar en la delegación policial. Obviamente no encontraron nada de incorrecto tampoco.

Algunos desahogos de Edir ocurrían cuando estábamos solos, en nuestro rincón. En determinadas circunstancias, me sentí demasiado herida con las confidencias que me hacía. Era como si su dolor estuviera en mí. Un día, junto a mí en el balcón del edificio, avistando a un perro vagabundo en la calle, mi marido llegó a decir que aquel animal era más feliz que él y que daría todo por estar en el lugar de ese perro abandonado. Mis palabras de consuelo parecían no surtir efecto, tamaña era su tribulación.

Llegamos al absurdo de vivir la vergüenza de huir de la policía. Exactamente: una mujer escondiéndose para ayudar a proteger a su marido forajido. Una humillación para cualquier esposa. Una deshonra para mí.

Todo comenzó cuando Edir organizó una gigantesca concentración en el Estadio del Maracaná, el 12 de octubre de 1991, el mismo día de una misa a cielo abierto con un Papa que visitaba Rio

Grande do Norte. El evento de la Iglesia permaneció confirmado durante varios meses, aun con diversas autoridades del gobierno presionando para que fuera cancelado. Edir recibía constantes llamadas telefónicas de hombres fuertes de Brasilia exigiéndole que desistiera, pero él siguió sin miedo.

Al llegar de Estados Unidos, tres días antes de la ceremonia en el Maracaná, mi esposo fue llamado por los abogados para declarar en una investigación más. Sin embargo, de un momento a otro, el interrogatorio en la Policía Federal terminó postergado. En la víspera de la reunión en el Maracaná, Edir invitaba a los espectadores por Radio Copacabana cuando fue avisado sobre un inesperado pedido de detención.

De repente, recibo una llamada de urgencia.

— Ester, prepárate porque vamos a viajar — dijo Edir, brevemente.

— ¿Por qué? ¿Qué ocurrió?

— Ahora inventaron que no fui a declarar, ¿puedes creerlo? Estuvimos en la delegación policial hace dos días, ¿recuerdas? Es una vergüenza — se indignó.

Difícil de creerlo, pero Edir estaba siendo buscado por la policía. Necesitaba presentarse espontáneamente ante las autoridades para evitar una detención escandalosa. De prisa, iniciamos una especie de «fuga». Pasamos la noche escondidos en la casa de uno de mis parientes, en Niterói. No es difícil pensar en el tamaño de mi vergüenza al tener que explicar los motivos de nuestra repentina estadía.

El día del evento, nos impidieron llegar cerca del Maracaná. Horas antes de la reunión, uno de los pastores nos llamó por teléfono para contarnos que había agentes federales esparcidos por el estadio, como emboscada. Yo me asusté. Nuestra ausencia no impidió la realización de la concentración de fe. En las tribunas del Maracaná hubo más de 150 mil presentes mientras que, en Rio Grande do Norte, el Papa reunió a menos de 90 mil personas. Esta comparación, claro, repercutió en la prensa brasileña e incluso en la internacional. No era la intención de mi marido.

Edir y yo pasamos el fin de semana con paradero desconocido. Cambiamos de dirección tres veces. En el asiento del auto, cuando pasaba alguien sospechoso estábamos obligados a agacharnos. En la estación de combustible, teníamos que estar escondidos como marginales. Vivimos tres días como delincuentes.

La madrugada del domingo, viajamos en auto a San Pablo para que Edir se presentara el lunes por la mañana en la sede de la Policía Federal, en el centro de la ciudad. Fue un día de declaraciones. Ese mismo lunes, él llegó exhausto a casa. De hecho, hacía mucho tiempo que no veía a mi marido tan agotado. Un cansancio interior.

— Llegué a mi límite, Ester. No soy un hombre que huye de la policía. No soy un ladrón, no soy un delincuente. Queremos socorrer a los sufridos. ¡Nada más! ¿Dónde está Dios? — se desahogó.

Yo lo oí con un silencio respetuoso.

Conversamos largas horas sobre la Justicia de Dios y sobre cómo estábamos sufriendo por una causa mayor, abrazada en nombre de los menos favorecidos. Pusimos nuestra juventud, nuestros proyectos, nuestros sueños personales, nuestra vida por entero delante de Dios. Él no podía desampararnos. Juntos, doblamos nuestras rodillas para orar aquella noche.

Un poco más tarde, cuando nos preparábamos para dormir, el teléfono sonó:

— Señor Edir, necesito que vuelva a la delegación policial en este momento. El juez está amenazando con no conceder la orden judicial de su liberación. Dijo que puede incluso expedir otra orden de detención — informó uno de los abogados.

Yo parecía no creerlo. Horas después de dejar el edificio de la Policía Federal, Edir fue obligado a volver al lugar. Recién volvió a casa a la madrugada. Parecía un ser inexpresivo.

Aun así, el peor de los ataques de aquel tiempo todavía estaba por suceder: mi marido iba a ser arrojado tras las rejas.

Presa al lado de Edir

La mujer tiene la capacidad de ver más detalles que el hombre. Nuestra sensibilidad de madre nos da ese don. Cuando la ola de persecuciones contra Edir se transformó en un tsunami, algunas noticias en especial empezaron a despertar mi atención. Notaba informes de noticieros y declaraciones de autoridades sugiriendo en su discurso que mi marido tenía problemas psiquiátricos. Lo trataban como a un loco religioso que debía ser encerrado en un sanatorio.

— Edir, me parece que la estrategia es internarte en un hospicio para que no salgas nunca más, e, incluso, aplicarte inyecciones con efectos peores. Los noticieros solo hablan de eso. Ellos quieren terminar con la Iglesia llevándote lejos de la libertad, lejos del pueblo — le comenté, en aquella época.

Como no lograron internar a Edir en un manicomio, según mi entendimiento, surgió un plan armado para llevarlo a la prisión. Eso sucedió al comenzar la tarde, en mayo de 1992.

Habíamos acabado de dejar la Iglesia en el barrio de Santo Amaro, en San Pablo, en dirección a nuestra casa para un almuerzo en familia con la presencia de algunos amigos. Nuestra hija Viviane, en aquella época de 17 años, y una miembro de la Iglesia estaban en el asiento de atrás del auto. Yo seguía en el asiento del pasajero, al lado de Edir que conducía. El entonces diputado federal Laprovita Vieira y su esposa y gran amiga, Vera, estaban en otro automóvil, justo atrás de nosotros.

Era un domingo relativamente común. Anduvimos con el auto algunas cuadras al salir de la Iglesia, cuando oímos un estruendo.

De repente, surgieron cinco o seis patrullas corriendo en dirección a nosotros. No entendí bien lo que estaba ocurriendo. Jamás me imaginé que pudiera ser algo grave. Era difícil asimilar todo tan rápido. Las últimas palabras que intercambié con Edir, antes de ser llevado con violencia, traducen el momento de pavor:

— Edir, ¿has pasado algún semáforo en rojo? ¿Has hecho algo mal con el auto? ¿Qué es eso?

— Claro que no, Ester. Estoy conduciendo normalmente.

— ¡Mi Dios! Pero, ¿qué es esto, mi Dios?

Las patrullas con el sonido de la sirena, acelerando ferozmente, nos forzaron a parar. Ellos hacían señas con brutalidad. Algunos sacaban la cabeza por la ventanilla del auto y gritaban. Me vi en una película de acción y terror. Ametralladoras, revólveres y muchas armas pesadas apuntadas hacia mi marido y hacia nuestra familia. Eran más de veinte agentes policiales, algunos encapuchados. Uno de ellos saltó encima del capot de nuestro auto.

Mi marido paró el vehículo e inmediatamente levantamos los brazos. Mi primera reacción fue pensar que estábamos siendo víctimas de un secuestro. No tenía sentido todo ese operativo frente a un matrimonio y dos jóvenes dentro de un vehículo. El diputado Laprovita intentó objetar, pero se lo impidieron. Edir recibió la voz de arresto y fue arrastrado hacia una de las patrullas. Permaneció en silencio, estático. No podía demostrar ningún tipo de resistencia frente a tantas armas apuntadas hacia él.

Yo observaba todo, de pie, ya fuera del auto, al lado de Viviane, que corrió para estar cerca de mí. Intentaba calmar a mi hija y, al mismo tiempo, entender toda la confusión. No lograba tener una claridad de los hechos. Durante algunos minutos, no supe hacia dónde ir ni qué hacer. Solo logré ver a mi marido siendo arrojado a la patrulla con violencia, como si fuera un delincuente peligroso.

En ese momento, perdí la calma. Viviane y yo comenzamos a gritar, les pedíamos explicaciones a los policías, pero parecía que nadie nos oía. Un pequeño tumulto se formó en la calle. El auto de la policía salió acelerado, con Edir detenido entre dos agentes armados. Viviane se desesperó:

— ¡Mi papá! ¿Dónde está mi papá? ¡Mi papá!

Yo realmente no sabía qué hacer.

— Vamos Viviane, ¡entra al auto! — le pedí, atónita.

Tomé el volante y salí acelerando, creyendo que podía alcanzar al grupo de patrulleros. No funcionó. Las patrullas avanzaban a alta velocidad, atravesando las intersecciones sin parar. Nuevamente, apareció la agonía. ¿Qué es lo que, de hecho, había sucedido con Edir? ¿Hacia dónde lo habían llevado? ¿Serían policías de verdad o delincuentes disfrazados? ¿Por qué tantos agentes, con tanta atrocidad, contra un simple pastor de iglesia? ¿Qué es lo que haría a partir de ese momento? ¿Adónde iba a ir? ¿A quién le pediría socorro?

Ya en casa, las llamadas telefónicas no paraban en búsqueda de noticias sobre mi marido. Viviane no contenía el llanto en ningún momento. A pesar de estar nerviosa, buscaba mantener el equilibrio para encontrar una salida. Después de algunas horas, un llamado nos confirmaba que Edir realmente había sido arrestado por la policía.

Instantáneamente, mis pensamientos nuevamente comenzaron a entrar en conflicto: ¿cómo cometieron una injusticia tan grande como esta? ¿Qué delitos había practicado mi marido para merecer la cárcel? ¿La Justicia sería capaz de aprobar un acto tan ilógico e indignante como aquel? ¿Preso solo por predicar la Palabra de Dios y dedicar la vida a esparcir esperanza? Desde los primeros pasos, vi su intención de salvar almas, sacrificando sus voluntades y sus proyectos personales por entero. ¿Y el precio que iba a pagar sería ser lanzado tras las rejas? ¿Su recompensa era la humillación de la prisión?

Es posible suponer un poquito de lo que viví en aquellos instantes.

Entré a la habitación para arreglarme, con destino a la delegación policial donde Edir estaba detenido y, sola, me arrodillé y lloré delante de Dios. No lograba conformarme con la situación, pero, al mismo tiempo, necesitaba estar firme. Mi marido me necesitaba.

Estaba dispuesta a permanecer presa con Edir los días que fueran necesarios. Y, de cierta forma, así ocurrió.

Al anochecer llegué a la delegación policial. En el trayecto, solo de imaginarlo en una prisión y ver que lo trataran como si fuera un marginal peligroso, viví momentos en mi interior que parecían rasgarme de arriba abajo.

Nos encontramos en una pequeña sala de la jefatura para que tuviéramos más libertad. Aquella sala fue utilizada por Edir, durante todo el período que estuvo en la delegación policial, para recibir a sus visitas. Entré lentamente por la puerta, pero no logré mantenerme fuerte. Estaba muy abatida, no soporté verlo preso. Lloré en silencio. Él aparentaba estar calmo.

— Amorcito, qué injusticia — exclamé, sin gritar.

Él no dijo nada. Solo lo abracé y lo besé. Y le pregunté:

— Vuelves a casa hoy, ¿no?

— No sé, creo que no, pero quédate tranquila. Todo está tranquilo. Vamos a resolver esto — afirmó, manso.

La delegación policial contaba con cuatro celdas, todas colmadas. Más de veinte presos se abarrotaban en aquel comprimido espacio. Pocas ventanas, oscura, el aire pesaba. El fuerte olor también incomodaba.

El horario de visita había terminado. Volví a casa contrariada, por orden de la policía. Edir se quedó solo en la celda junto a los demás presos, lugar en el que pasó la primera madrugada. Se sentó en un pequeño espacio libre de la celda aguardando que el sueño llegara. Horas más tarde, recibió una colchoneta y, con la ayuda de los demás presos, buscó un rincón para acomodarse. Extendió la colchoneta en el piso entre dos literas ocupadas por otros detenidos.

Yo pasé la noche en casa intentando calmar a Viviane. No les contábamos a nuestros hijos sobre la ola de persecuciones que nos alcanzaba de lleno, para evitarles el dolor. Usé aquellos momentos para consolar a mi hija, para mostrarle que su padre había sufrido una tremenda injusticia, que no era ningún delincuente para ser tratado de aquella forma. Al mismo tiempo, pensaba en Edir solo en la cárcel. Rarísimas veces mi marido y yo habíamos dormido separados desde nuestro casamiento. Solo cuando las niñas nacieron y en algunos pocos viajes misioneros. Su ausencia hería. Aquel vacío dolía.

Poco antes de dormir, Viviane golpeó la puerta de mi cuarto.

— Mamá, ¿puedo dormir aquí contigo? No quiero que te quedes sola. ¿Puedo? — preguntó, con los ojos hinchados de tanto llorar.

— Claro, mi amor. Ven aquí con mamá. Necesitas descansar, calmarte un poco. Pero antes vamos a hacer una oración.

De rodillas, cada una de un lado de la cama, hablamos con Dios e imploramos Su protección para Edir y para toda nuestra familia. Era difícil orar en una noche de tanto sufrimiento. En el silencio de la madrugada, lloramos juntas y nos dormimos abrazadas.

A pesar de demostrarle fuerza a mi hija, yo no estaba bien. Estaba destruida por dentro.

«Mamá, ¿qué hicieron con nuestro padre?»

l amanecer, agarré un poco de ropa, rápidamente tomé mi café, bien fuerte, y salí. Temprano, ya estaba preparada, frente a la delegación policial, aguardando para volver a ver a mi marido. Fui la primera en encontrarme con él aquel día. Antes que ropa limpia y productos de higiene, Edir me pidió una Biblia. Poco tiempo después, recibimos la visita de los obispos y pastores que, solidarios, intentaban animarlo.

La sala de la delegación policial para las visitas inmediatamente se volvió nuestro espacio permanente. Durante la primera semana preso, Edir autorizó a la prensa a fotografiarlo tras las rejas. Estaba sentado en el fondo de la celda, con las piernas cruzadas, leyendo la Biblia. Vestía camisa blanca de manga corta y pantalón de vestir gris, que le había llevado en una de las visitas.

Los días fueron pasando sin libertad. Tenía la sensación de que el tiempo pasaba lentamente. Estábamos indignados, pero teníamos que mantener la calma. A pesar de toda la indignación, yo necesitaba estar al lado de mi marido, ser el punto de equilibrio. Muchas veces en silencio, solo una mirada, un abrazo, un toque. Y fue lo que hice.

Ya casada, nuestra hija Cristiane vivía en Nueva York. Moysés, aún pequeño en aquella época, pasaba algunas semanas con ella. Ella recibió la noticia por teléfono.

— Mamá, quiero ir a Brasil a estar con mi papá. Quiero ir ahora — me pedía, con insistencia.

— No sirve, hija mía. Necesito que estés allí cuidando a Moysés. Mantén la tranquilidad. Dios va a bendecir — intentaba sosegarla.

Cris no soportó y también lloró a distancia. Al verla así, su hermano les comentó a sus compañeritos de la escuela sobre la prisión de su padre. En la misma semana, ella fue convocada al colegio para dar explicaciones. Frente a la profesora, Cristiane intentó explicar la embarazosa situación en Brasil. No le ocurrió nada a Moysés.

Las semanas siguientes, Viviane se hospedó en la casa de uno de los pastores amigos nuestros. Fue la mejor manera encontrada para darme seguridad y dedicarme a Edir. Ella también tenía prohibido por las autoridades visitar a su padre por ser menor de edad.

— ¿Cómo está? Lo extraño. Es duro saber que está durmiendo en el piso. ¿Qué le hicieron? ¿Y ahora? ¿Qué va a ser de papá? ¿Qué le va a suceder? ¿Cuándo va a salir de allá? — indagaba, preocupada.

Mi respuesta se repetía como señal de seguridad:

— Quédate en paz, mi amor. Dios va a bendecir.

Al dejar la delegación policial, regresaba a casa, entraba a la habitación, cerraba la puerta y lloraba delante de Dios, mi refugio y mi fuerza.

Cinco días en la cárcel y nada. Queríamos irnos a casa rápido. Yo estaba muy preocupada por mi marido. Él caminaba hacia el agotamiento. Casi no comía, solo ingería agua, mucha agua. Estaba bajo presión, no tenía apetito. No lograba dormir bien. La tensión estaba estampada en su rostro.

Cierto día, una escena conmovedora tocó a todos en la delegación policial, inclusive a los propios agentes y guardias. Mi suegra, la Sra. Geninha, de entonces 71 años, vino desde Río de Janeiro especialmente para ver a Edir. Ni bien vio a su hijo preso, lloró. Mi marido le puso las manos sobre los hombros y afirmó:

— Calma, mamá. Dios está con nosotros.

— Yo creo, hijo mío. Continúo orando por ti todas las noches, querido — respondió ella y lo abrazó.

Siempre que entrábamos o salíamos de la delegación policial, un ejército de reporteros nos cercaba pidiéndonos una entrevista. Una vergüenza difícil de soportar, aún más para mi suegra ya anciana.

Los abogados no traían ni siquiera una noticia positiva. Todos los pedidos de *habeas corpus* habían sido negados. No puedo negar que me preocupaba aquella demora, pero la lentitud de la Justicia en autorizar la salida de Edir nos proporcionó experimentar momentos sorprendentes. Cada vez más personas, personalidades o gente común, inclusive las que nos criticaban, pasaron a demostrar apoyo. Éramos informados todo el tiempo sobre declaraciones favorables a la libertad dadas por autoridades, políticos, artistas e incluso líderes de otras religiones. Mucha gente en contra de la Iglesia comenzó a estar a nuestro favor.

Vivimos algo muy especial: una unión ardiente de la Iglesia Universal. Si lo que ellos querían era destruir a la iglesia, lograron unirla aún más. Pastores, obreros y el pueblo en general comenzaron a hacer vigilias en la puerta de la delegación policial. Era posible sentir la fuerza de las oraciones. Cuando Edir cumplió una semana en la cárcel, la delegada de turno lo llamó para decirle que estaba preocupada por el crecimiento de los manifestantes y le pidió que grabara un mensaje de radio a fin de calmar los ánimos. El pedido fue prontamente atendido.

Algunas manifestaciones nos conmovían. Cierto día, más de mil personas que protestaban en la puerta de la delegación policial, abrazaron la cárcel haciendo una enorme cadena de manos tomadas.

Cuando yo llegaba a la cárcel, a medida que me acercaba, ya era posible oír un coro de canciones de fe, cantadas por la multitud en la puerta de la delegación policial. Vi a una innumerable cantidad de señoras, muchas con una salud frágil, orando durante horas y horas sin parar. Día y noche, muchas veces inclusive de madrugada, formaban rondas en la vereda, tomadas de las manos, pidiendo una respuesta de Dios.

En febrero de 2010 recibí una linda fiesta sorpresa para
festejar mis 60 años.

Mis padres pasaron por una fase de gran dificultad económica; aun así, logré festejar mi cumpleaños de 15 al lado de mis primos y primas. A los 20 años, poco antes de conocer a Edir y la foto de cuando tenía 17 años, que él guarda cariñosamente en su billetera hasta hoy.

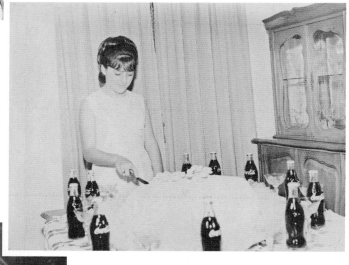

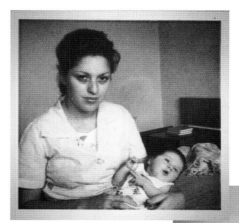

Cristiane, nuestra primera hija,
vino de un embarazo sorpresivo.
Ser madre era un antiguo
deseo y tenerla en mis brazos
fue la realización de un sueño.
Su llegada le trajo una alegría
incondicional a toda la familia.

La llegada de Viviane me acercó aún más a Edir. Cristiane asumió el papel de cuidar a su hermana y juntos enfrentamos dificultades terribles para cuidar su salud.

Mi hijo menor, Moysés, entró a nuestra vida con solo 14 días y toda la familia quedó radiante con su llegada. Las chicas se disputaban el turno de tenerlo en brazos.

Parte de la infancia de los niños fue vivida en Nueva York, en Estados Unidos, un período difícil de adaptación para mí. Vivir fuera de Brasil fue un sacrificio por la Obra de Dios.

Cuidé todos los
detalles y participé
activamente en los
preparativos del
casamiento de mis
hijas. Cristiane
se casó en 1991
y Viviane al año
siguiente: recuerdos
inolvidables.

Incluso con una agenda repleta
de viajes misioneros, siempre
busqué estar cerca de mis hijas,
darles consejos, pero también les
doy cariño y muchos abrazos.

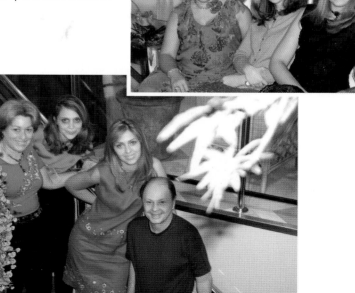

Mi madre, mi ejemplo de carácter y de fe, una mujer discreta y temerosa de Dios. En la foto de abajo, en 2014, ya muy enferma, en una de las últimas visitas en las que aún me reconoció.

El papel de la mujer es el de edificar su hogar. Una mujer de Dios conoce sus responsabilidades. Sabe que le corresponde a ella generar la paz, la concordancia y el ambiente acogedor en el hogar.

Hasta hoy, cuando estoy en casa, me gusta cocinarle a mi familia y tengo a la costura como un pasatiempo placentero.

Mis hijas son mujeres de Dios, que dedican su vida al Altar. Hoy, nosotras orientamos espiritualmente a mujeres de diferentes edades en la Iglesia.

Reunión con las voluntarias de la Escuela Infantil, en la Iglesia de Santo Amaro, en San Pablo, y una de mis visitas a la Iglesia de Soweto, en Sudáfrica. En cualquier parte del mundo, la Universal es un imán de los más variados tipos de mujeres, que llegan hasta nosotros castigadas por la perversidad del mundo. Y todas cargan una misma esperanza: recibir nuestra mano extendida para reencontrarse en la vida.

Reunión del Godllywood solo para mujeres en el Templo de Salomón:
vida de comunión con Dios para transformarnos en personas mejores.

Luché contra
mis errores para
ser una mujer
de Dios y hoy
cosecho con
alegría los frutos
de lo que sembré.
Mis hijas serán
mis niñas para
siempre.

Después de once días en la cárcel, el fin de la pesadilla. El juez, finalmente, había autorizado su libertad. Respiramos aliviados. Abracé a Edir durante largos minutos. Era hora de dejar la prisión por la puerta de adelante, con la frente en alto.

Ántes de partir, pastores y obreros les distribuyeron decenas de Biblias a los presos. En la celda, ayudé a mi marido a recoger la ropa y sus objetos personales. Edir vestía un traje azul marino y camisa blanca. Agradeció la convivencia con los presos y detenidos a lo largo de aquellos once días, los saludó a uno por uno, y dejamos la delegación policial.

Eran poco más de las siete de la tarde. Fue una enorme confusión. Casi me exprimieron, los periodistas querían grabar entrevistas, registrar una imagen o conseguir una foto. Pero lo que prevalecía eran los gritos de celebración de los miembros y simpatizantes de la Iglesia. Eufóricos, festejaban e intentaban saludarnos conmovidos.

— ¡Justicia! ¡Justicia! ¡Justicia! — celebraba la multitud.

La alegría no cabía dentro de mí.

Al salir de la delegación policial, antes de volver a casa, Edir decidió realizar una reunión en la misma Iglesia de donde había salido directo a su prisión.

— Desde allá salí a la cárcel y allí volveré — le afirmó a mi cuñado Celso Bezerra, que guiaba al conductor.

En el asiento de atrás, feliz, yo me sujetaba firme de sus brazos. Juntos, unidos, camino a la libertad. Al bajar del auto, caminamos lentamente hacia el Altar. Había tanta gente de pie que se perdía en el fondo de la Iglesia. Pastores, obreros, el pueblo. Hombres, mujeres, niños. Al entrar, los aplausos de la multitud hacían eco por el salón. Edir hizo señales en silencio durante algunos segundos. Y solo dijo:

— Toda honra para nuestro Dios.

Sentada en las butacas un poco más atrás, secándome los ojos que lagrimeaban, solo pronuncié bajito:

— Amén.

Y esbocé una sonrisa de alivio y gratitud.

Abrazados por una nación

Les repito siempre a las esposas de pastores lo común que es ver historias de cambio de vida en las personas que decían odiarnos. Muchas nos rechazaban con furia por conocernos solo por los noticieros, es decir, gente influenciada por la maldad y el prejuicio de quien da la noticia. La intención era esa: hacer que el máximo posible de gente tuviera una ira mortal por Edir y por mí. Hasta hoy, todos confirman oír la misma declaración en los lugares más diferentes de Brasil e inclusive en otros países.

— Señora Ester, perdóneme porque yo la odiaba a usted y al obispo. No sabía quiénes eran ustedes, lo que era la iglesia, pero oía hablar muy mal. Ahora Dios cambió mi vida, fui liberada y mi familia fue reconstruida. Soy una nueva criatura y logro ver el bien que ustedes hacen — oí, repetidamente, innumerables testimonios a lo largo de toda la existencia de la Iglesia.

Los ataques, de hecho, fueran impiadosos. No fue fácil soportar todo como esposa y madre. Incluso después de la prisión de Edir, las persecuciones volvieron. Ellos no desistían. Esperaban que mi marido se rindiera y que la Iglesia retrocediera. Fue entonces que, cuando menos lo esperábamos, surgió un nuevo tipo de ofensa: matrimonios que estaban en nuestro medio, personas consideradas de confianza, por encima de cualquier sospecha, realizando el servicio sagrado de la Obra de Dios, se levantaron contra nosotros con una cólera alarmante, a veces incluso mayor que la de quien estaba del lado de afuera.

Mujeres de obispos y pastores que compartían la intimidad conmigo, que compartían mi red personal de amistades, que se decían «temerosas» y «fieles», se lanzaban hacia la rebelión permitiéndose ser manipuladas por las emisoras de TV y revistas. Afirmaban una serie de tonterías y mentiras con el objetivo de herirnos. Muchas participaban a mi lado, en encuentros reservados, en los que meditábamos en los textos bíblicos, orábamos tomadas de las manos y conversábamos sobre cómo ser mujeres sabias, capaces de edificar nuestras casas, y las formas de socorrer a los que padecían lejos de Dios. No había manera de desconfiar. Una de ellas era quien me había recibido en su hogar apenas volvimos a Brasil, en la época de la compra de Red Record. Ella y su marido se fueron de la Iglesia debido a una rebelión contra Edir. Él no aceptaba tener que someterse a mi marido después de haber cuidado la Iglesia en San Pablo. Se creía autosuficiente y la gota de agua para él fue ser reprendido, después de haberle faltado el respeto a Edir. Él no lo aceptó y decidió irse de la Iglesia.

Muchos pastores abandonaron el Altar motivados por los beneficios que recibirían si profesasen mentiras contra nosotros. Ingratos con lo que Dios había hecho por ellos, ya que todos habían sido recuperados de una vida destruida, llena de problemas, algunos comenzaron a dar entrevistas para criticar a la Iglesia y a mi marido. Lamentablemente, conocí a muchas mujeres que apoyaron las actitudes de odio de sus esposos.

Gran parte de esas mujeres, con el pasar del tiempo, terminó perdiéndose por las trampas de este mundo sucio y cruel. Algunas llegaron a regresar a la Iglesia, con o sin su marido, recomenzaron como voluntarias, probaron estar arrepentidas y se levantaron nuevamente, gracias a Dios. Otras asumieron una rabia inexplicable contra nosotros. Cada una de ellas está incluida en mis oraciones hasta los días de hoy.

Otro tipo de persecución que me sorprendió fue presenciar a líderes evangélicos predicando la ira contra nosotros, siempre apoyados por sus esposas. Justamente quien debería esparcir el perdón, el amor y la fe comandaba la artillería de difamaciones. Y, lo peor, créame: casi siempre usaban la propia Biblia para condenarnos y juzgar nuestros actos. Los insultos tenían lugar en los cultos de sus comunidades religiosas, pero, principalmente, en declaraciones a los noticieros de Globo y en periódicos con una línea prejuiciosa.

Incluso hoy, cada tanto, surgen nuevos liderazgos evangélicos que sobreviven de ataques y calumnias hacia mi marido. No se preocupan por predicar el Evangelio a los necesitados, sino por agredir a los que permanecen en la fe. Sus esposas siguen el mismo tono y destilan veneno y cólera en mujeres que deberían recibir su cuidado espiritual. Es lamentable y triste haber visto esos episodios en el pasado y saber que eso aún existe en el medio cristiano.

En aquella época, ese odio propagado por los medios de comunicación en general, por los desafectos y por aquellos que se incomodaban por nuestro crecimiento terminaba esparciéndose por las calles, provocando hechos deplorables.

Era una época en la que Edir tenía la obligación de andar con un documento de la Justicia que comprobaba su libertad. Para salir de Brasil buscando cumplir compromisos con la evangelización, siempre era necesario tener autorización judicial. Nuestra libertad estaba parcialmente vedada. A pesar de la indignación frente a tanta opresión, obedecimos las normas rigurosamente.

En el Aeropuerto Tom Jobim, en Río de Janeiro, yo estaba con Edir y Moysés, todavía muy niño, preparándonos para embarcar hacia Estados Unidos, ya sentados en los asientos, cuando agentes de la Policía Federal invitaron a mi marido a dejar la aeronave por medio del sistema de altavoz. Buscaban el documento que comprobaba su libertad, con el aval para dejar el país. Atrasaron el vuelo más de treinta minutos provocando un malestar entre nuestra familia, la tripulación y los demás pasajeros. Parecía un acto calculado.

Al salir de la aeronave, en el pasillo, algunos gritaban:

— ¡Vamos a pasar el alfolí mientras tanto!

Yo ignoraba la maldad y oraba a Dios para calmar a Edir, visiblemente alterado. Sola en el asiento del avión, mirando por la ventana, elevé mis pensamientos a lo Alto y recordé la promesa: *«Si tuviereis fe como un grano de mostaza, diréis a este monte: Pásate de aquí allá, y se pasará»* (Mateo 17:20). Le pedí a Dios que el «monte» de aquel momento desapareciera. Edir estaba en un estado de nervosismo irreconocible. Tenía miedo de su reacción impulsiva contra los agentes de la policía. Yo misma creí que iba a tener un ataque cardíaco. Él comenzó a tener problemas de colesterol desde que volvió a Brasil.

Las puertas del avión se cerraron después de que todos los pasajeros estuvieran acomodados cuando Edir regresó. Después de la larga espera, las autoridades policiales reconocieron la equivocación y autorizaron que mi marido viajara.

También en un avión, durante otro viaje misionero, la azafata derramó gaseosa en el regazo de mi marido durante uno de los vuelos. Notamos la maldad hecha intencionalmente. Yo la miré indignada, pero me callé. Solo restó el cuidado de ayudar a Edir a enjuagar sus piernas. Perdí la cuenta de las agresiones sufridas en ese período de persecución.

Edir y yo enfrentábamos todo con serenidad, cien por ciento dirigidos a la Iglesia, a cuidar nuestra familia diariamente y, al mismo tiempo, perplejos por el nivel de crueldad desde donde partían las agresiones, siempre convencidos de que la verdad saldría a la luz y que se haría justicia. No por eso, la ingeniería de perversidades dejó de impresionarnos.

Los reportajes fantasiosos de Globo aumentaban en sus informativos televisivos. Se divulgaron diversas calumnias sin que pudiésemos dar nuestra versión de los hechos, sin defensa. Fuimos blanco de un bombardeo, de una serie de abusos por parte de ese grupo de comunicación, hasta hace poco tiempo, el dominador absoluto de la información. La intención nunca cambió: poner al pueblo en contra de nosotros insuflando la intolerancia e, inclusive, una guerra religiosa.

Toda su potencia y grandiosidad, en esa época con una audiencia de más del noventa por ciento de los hogares brasileños, fue dirigida para afectarnos. Pero nuestra familia sobrevivió. La Obra de Dios se mantuvo de pie. Resistimos a un bombardeo que jamás nadie soportó.

Lo curioso es que todo ocurría conforme la Iglesia se expandía y Red Record avanzaba rumbo al crecimiento. Hoy, nuestra emisora es el segundo mayor grupo de comunicación de Brasil, emplea a miles de brasileños, tiene un informativo con gran audiencia y con la mayor credibilidad del país, y nos regala producciones bíblicas conmovedoras, como ocurrió con el éxito de *«Los Diez Mandamientos»* y *«La Tierra Prometida»*.

Fue justamente la d*ramaturgia televisiva*, usada hoy por Red Record para esparcir los valores bíblicos en Brasil y en el mundo, en un período cada vez más violento y sin amor, lo que sirvió de manipulación para intentar destruir la Iglesia.

— ¿Es verdad lo que estoy oyendo decir, Edir? ¿Ellos lanzaron un sostén arriba de la Biblia? ¡Pero es la Palabra de Dios! — cuestioné, horrorizada.

— Es un vale todo, Ester. Una guerra cobarde, baja, sin escrúpulos. Quieren destruirme, terminar con la Iglesia, arruinar a nuestra familia. Pero esta guerra no es nuestra — ponderaba mi marido, siempre recurriendo a su fe.

La imagen que tanto me chocó fue la escena de una miniserie llamada *Decadencia*, exhibida por Globo. Vi la grabación, hecha por uno de los pastores, algunos días después. La trama tenía como personaje principal a un pastor corrupto, adúltero y sin integridad, líder de una iglesia de personas desequilibradas. Claro, era una caricatura ridícula del trabajo de evangelización de Edir como predicador. Una sátira a nuestros valores y, por encima de todo, a los principios de la Palabra de Dios.

Confieso que nunca había visto nada igual. Particularmente para mí, cristiana de cuna, aquello fue un verdadero escándalo. Un insulto sin tamaño. ¿Cómo trataban así al mayor símbolo de nuestra fe y todo quedaba impune? Aprendí a tener como misión celar por la santidad de la Palabra de Dios. La Biblia no es el libro de vida solo de la Universal, sino de fieles al Evangelio en todo el mundo. Imagínese cómo fue para mí, y para otros millones de cristianos, ver una aberración de esa dimensión.

No había límites para las agresiones.

En medio de toda aquella avalancha de ofensas y mentiras, de principio a fin, desde la prisión y los procesos inventados hasta las noticias calumniadoras y el odio sin razón, una escena simboliza el tamaño de mi angustia. Una imagen que nunca se borró de mis recuerdos. Desolado, Edir se preparaba en la oficina para realizar un culto más en la antigua Universal de Brás, en San Pablo. Pasaba las hojas de la Biblia pensativo, en silencio, mientras yo lo observaba. La meditación demoró varios minutos.

— Honestamente, no sé qué predicarle al pueblo. No tengo una palabra indicada. ¿Qué hago Ester? — me preguntó.

Yo no tenía respuesta.

Mi marido subió al Altar y, desde sus primeras palabras de la oración, atormentado por tanto sufrimiento, no contuvo las lágrimas. Prácticamente no logró realizar su reunión, permaneciendo prácticamente todo el tiempo llorando. Fueron horas sin siquiera una palabra, solo llanto, llanto, y llanto. La amargura de su alma se escurría a través de sus ojos en forma de lágrimas.

El dolor de una esposa al ver a su marido en ese estado lamentable es imposible de traducir.

En algunos momentos, él dejaba el micrófono sobre el púlpito para abrazar su propio cuerpo. Se oía de fondo solamente el sonido de su llanto. Él cantaba siempre la misma canción, como la repetición de un clamor. La melodía fue compuesta por él mismo, en medio de aquellos días nublados, inspirada en el Salmo 69, en el que David hace una profecía sobre el sufrimiento futuro del Señor Jesús y lo que él mismo vivió. La canción tocaba profundamente porque era el exacto retrato de nuestras vidas en aquel instante. Casi se convirtió en la súplica diaria de Edir. En cada una de sus reuniones, la canción también expresaba mi suplicio.

Fue bautizada con un nombre repleto de significados: «Soledad».

«Oh mi Dios, ¡sálvame!
Porque las aguas me arrastran…
Estoy cansado de clamar, mis ojos de llorar.
De tanto esperar por Tu Salvación,
Tengo que sufrir en las manos de los que me odian…»

Acciones criminales armadas, oficiales de Justicia en casa, nuestra honra siendo destruida por la prensa, reporteros y fotógrafos persiguiéndome a mí y a mis hijas, traidores surgiendo en nuestro medio con rencor y sed de venganza, mi dignidad de esposa arrojada a la basura. La humillación delante de mi familia.

El mar revuelto parecía tragarnos. La sensación era de estar siendo tragada hacia adentro del océano en dirección a las profundidades. La humillación nos sumergía. Faltaba el aire. Todo únicamente por predicar salvación y esperanza. Todo por nuestro Dios. Pero, ¿dónde estaba Él? Si esos pensamientos surgían en mi mente, me imagino lo que pasaba dentro de Edir, mientras su llanto permanecía al son de la canción. Oírla, aún hoy, me trae a la mente las angustias de un pasado sombrío:

«No me dejes solo, pues solo Te tengo a Ti.
Pues he soportado afrentas solo por Ti.
Mi rostro está marcado de tanto esperar.
Oh mi Dios, ¡sálvame!
Pues en cenizas me consumí...»

Nuestra fuerza para resistir a tanto odio estaba cerca del límite. Recordar a Edir contándome que sugerencias de suicidio le vinieron a la mente, robaba mi paz. Los adversarios se multiplicaban día tras día y por todos lados. Los amigos se convertían en enemigos, de un momento a otro. ¿Realmente era posible un libramiento para mi marido? ¿La fe pura y sincera que habíamos aprendido siendo jóvenes y que había hecho que millones alcanzaran la luz nos libraría de la oscuridad? ¿Dios nos abandonaría, dejándonos solos, en medio de tantas tormentas?

«Mis amigos me dejaron,
estoy solo, me desprecian.
Oh, no me rechaces en mi vejez,
cuando me falten fuerzas para servirte.
En Ti me refugio, pues solo Te tengo a Ti....»

Las reuniones marcadas por las lágrimas terminaban, pero el llanto permanecía dentro de mi espíritu. No había ni siquiera una persona capaz de darnos una palabra de consuelo, a no ser el pueblo de la Iglesia. El abrazo vino justamente de quien sufría escarnios y vergüenzas en la calle por profesar la misma fe que la nuestra. Una nación de hombres y mujeres temerosos de nuestro Señor.

Quien mira hoy a la Universal, a los miles de templos colmados en Brasil y en el mundo, a los millones de miembros en todo el planeta, a la importancia de Red Record para el país, no tiene la menor idea, ni cerca, del agonizante precio que pagamos. La nueva generación de miembros y voluntarios, los más jóvenes y otros que no siguieron todo eso de cerca, tal vez no logren imaginar la masacre de la cual fuimos víctimas. Lo que más dolía era saber que nuestro objetivo siempre fue y es uno solo: predicar la Palabra de Dios a los que sufren en este mundo.

Pero todo valió la pena. Dios se acordó de mí y de mi marido, y nos honró en Su tiempo.

Ahora es posible comprender lo que significó para nosotros el magnífico día de la inauguración del Templo de Salomón, más de dos décadas después de tantas persecuciones. Desde la presidente de la República hasta ministros de Estado y del Poder Judicial, desde decenas de gobernadores y alcaldes hasta jefes de instituciones policiales y de las Fuerzas Militares. Empresarios de los medios de comunicación, periodistas, jueces, fiscales, las personalidades más influyentes de la sociedad. Las autoridades máximas de Brasil, una a una, sentadas en las butacas de la Iglesia Universal, respetuosamente, participando en un culto de mi marido.

El Dios de la Biblia no falla.

«Si alguno Me sirviere, Mi Padre le honrará.»

(Juan 12:26)

CAPÍTULO 5

El hogar en mis manos

¿Qué mujer lo soportaría?

Hogar, dulce hogar. La expresión que mejor traduce esa sensación buena de sosiego al llegar a casa no forma parte de mi diccionario. No tengo una residencia fija como toda mujer desea. Tengo una vida nómade hace casi cuarenta años, desde que decidimos servir a Dios en el Altar.

Este quizá sea uno de mis mayores sacrificios, en particular.

La casa siempre fue para mí un espacio sagrado de convivencia con quienes amamos, donde la mujer reina para garantizarles comodidad y placer a su marido y a sus hijos. Mis padres me enseñaron eso. El lugar en el que nos deleitamos con los detalles más simples, como elegir el objeto de decoración del living o el color de la pared del dormitorio, para proporcionarle bienestar a la familia. Es su pedacito exclusivo protegido de las atrocidades del mundo.

Renuncié a tener una casa fija para viajar con mi marido alrededor del planeta atendiendo a las necesidades de la Iglesia. Cuando comienzo a habituarme con cierta ciudad de tal país, enseguida parto a una nueva misión, con un nuevo hogar, un nuevo vecindario, un nuevo idioma, nuevas costumbres, nuevos aires. Mi cuerpo y mi mente fueron forzados a aceptar eso en las últimas décadas, aunque, más recientemente con el avance de la edad, he sentido mucho los efectos de esta rutina cansadora de viajes.

Aprendí a no apegarme a nada. En un momento estoy en Brasil, en otro momento en Estados Unidos, en otro en Europa, después en África y, a veces, incluso en Asia. Eso sirve para todo: desde los muebles de la casa, desde ese sillón confortable y desde la cama tan suave, hasta el armario, el zapato que combina con todas las prendas y la cartera práctica, esencial para el día a día. Es imposible transportar todo de un lado a otro, todo el tiempo, incluyendo mis pertenencias personales, aunque, la mayoría de las veces, termine convenciendo a Edir de que me deje llevar unas valijitas de más. Él se enoja conmigo en ese momento, pero después termina comprendiéndome.

Los constantes viajes son necesarios porque mi marido supervisa personalmente el trabajo evangelístico de los obispos y pastores de la Universal en todos los continentes. Claro que cuenta con un equipo en cada región del mundo para que lo auxilie, pero se ocupa de saber sobre la conducción de la Iglesia, en cada localidad, bajo el ámbito de la fe del pueblo. Son centenas de predicadores y millones de fieles bajo su liderazgo espiritual. El cuidado por la Obra de Dios lo hace actuar así, y lo admiro por eso. Por esa razón, me correspondió a mí adaptarme a una vida sin hogar.

También tengo mis obligaciones que han aumentado mucho en los últimos años. En todos los países, hago reuniones con las esposas de los pastores y obispos enseñando, entre otras lecciones, los cuidados en el auxilio al marido y a los hijos, y en la relación de ellas con Dios. La mujer es una pieza decisiva para el éxito de un pastor y, consecuentemente, para conducir a las personas que nos buscan hacia una vida de éxitos, como describo en el capítulo «La esposa del obispo».

Tengo consciencia del valor de mis tareas, pero eso no disminuye, ni un milímetro, las complicaciones de vivir así. Sufro con esas elecciones. No tener una casa definida, por ejemplo, exige una vida sin rutina. No puedo planear compromisos ni siquiera para una semana. Llevo un cotidiano de imprevistos. Eso es extremadamente terrible para nosotras, las mujeres. No poder marcar el tratamiento en una clínica de estética, el corte de pelo en la peluquería preferida o cualquier otra actividad para una o dos semanas después, es desalentador. El lector puede no creerlo, pero hasta hoy no tengo un peluquero propio. Las mujeres saben bien lo que eso quiere decir: tintura del cabello con un tono incorrecto, cortes que no me agradan, tratamientos impropios para mi cabello. A veces, pienso seriamente en simplemente dejar que las canas aparezcan.

Mi agenda para intentar visitar a un familiar e incluso para marcar una reunión con las mujeres es armada siempre de un momento a otro, con decisiones repentinas. No saber si dentro de algunos días estaré o no en el mismo lugar es duro. Siento la falta de una vida menos agitada, pero no hay opción. Es mi renuncia por el Altar.

Llegamos a recorrer en avión miles de kilómetros en las últimas décadas. En uno de los cálculos recientes, sumada la cantidad total de vuelos en casi cuarenta años, es posible afirmar que ya di más de dos veces la vuelta al mundo. Perdí la cuenta de en cuántas naciones diferentes ya estuve, pero calculo el total en más de setenta. La Universal está presente en más de cien países.

Realmente lo más cansador es encarar las horas dentro de la aeronave y los síntomas de los cambios del huso horario. Tengo enormes dificultades con eso.

Mi cuerpo siente mucho cualquier alteración de ese tipo. Enfrentar cuatro o cinco horas de huso, por ejemplo, para mí, es equivalente a sufrir un trabajo forzado en la labranza. Al principio de la Iglesia nos veíamos obligados a hospedarnos en hoteles, lo que empeoraba mi estado de salud. Hoy, nuestras estadías son siempre en las casas de los obispos y pastores, casi en su totalidad localizadas en los propios templos. Y el cariño de ellos compensa todo el viaje cansador. Normalmente nos dan sus propios dormitorios y siempre con sábanas y toallas nuevas para hacernos sentir aún más bienvenidos. Incluso, esa es una cultura exclusiva de nuestra iglesia, las esposas tienen placer de hospedar unas a las otras. Cada vez que se mudan, también suelen dejar la casa bien limpia, con todo nuevito, con la cocina repleta de compras y el baño con todo lo mejor para la llegada de la nueva pareja. Tengo orgullo de ver tanto cariño y el espíritu de hospitalidad de nuestro medio, como voy a detallar en el capítulo «La esposa del obispo».

En una consulta al final del 2015, la médica me dio un tirón de orejas.

— Usted necesita disminuir el ritmo, ya no tiene la edad para estar viajando tanto, necesita cuidar su salud. Hay un estrés en su organismo con tantos husos horarios — me alertó la doctora.

Me sacrifico todo el tiempo por mi marido. También entiendo eso como una renuncia personal para cumplir la Obra de Dios. Pero sigo sin resistir cien por ciento las decisiones de Edir. Entiendo mi papel de auxiliadora.

Llego a reclamarle a mi marido cuando él insiste en viajar los días en los que no estoy totalmente bien de salud. Ya embarqué en vuelos sintiéndome mal, no sintiéndome dispuesta, con dolores en el cuerpo y con malestares. Hice muchos viajes incómoda, sintiéndome realmente mal, cargando callada mis incomodidades. Y Edir después se siente mal y termina queriendo compensarme de alguna forma.

Para quien no entiende el papel de la auxiliadora del marido, puede incluso pensar que esta es inferior a él, que se anula para que él sobresalga. En realidad, la auxiliadora es quien hace de su marido el hombre que él es. Cuanto más auxilio a Edir, más él se hace dependiente de mí y me valora. Cuanto más lo agrado, más él quiere agradarme. Es una competencia saludable de quién se sacrifica más por el otro. No piense que mi marido no se sacrifica por mí. Lo que él puede hacer para cuidarme, lo hace, incluso de malas noticias. A él no le gusta verme triste, mucho menos enojada.

Yo tengo mis debilidades, pero no me gusta exponerme. No las comparto con nadie. Y no se trata de tener amigas íntimas para conversar temas de esta naturaleza, para intercambiar confidencias o para desahogarme, al contrario, tengo decenas de ellas, pero prefiero llevarle mis problemas a Dios porque sé que solo Él puede ayudarme. Mis amigas van a tener pena de mí, me van a dar una palabra de ánimo, pero lo que realmente necesito es el consuelo del Espíritu Santo. ¡Y Él hace eso tan bien!

Viajar a África o a Asia, por ejemplo, son los viajes más difíciles para mí. No hay nada más desgastante para mi cuerpo que enfrentar la diferencia de horarios hacia aquellos continentes. Apenas desembarco, necesito una semana, como mínimo, para recuperar mis fuerzas. Por ejemplo, el huso horario de Brasil hasta Sudáfrica, donde nos solemos hospedar, es de cinco horas la mayor parte del año.

Mi incomodidad con los viajes más largos ya comienza dentro del avión, con dolores en la columna, en las piernas y en el cuello. Además del estrés de los días que anteceden a la partida, apenas llego, parece que mi cuerpo da señales de que no está en su lugar de origen. Siento somnolencia, fatiga que no pasa, falta de concentración y, a veces, incluso náuseas y problemas en el estómago y en el intestino.

La médica me explicó que cuanto más pasa la edad, menos capacidad de adaptación tenemos. Me enseñó a intentar prevenirme de esos síntomas, pidiéndome que tratara de adaptarme a los nuevos horarios antes de embarcar. Dormir y comer más tarde o más temprano, dependiendo del lugar de destino. Pero, ¿cómo hacerlo si, muchas veces, no sabemos exactamente hacia dónde vamos a ir? La mayoría de los viajes siempre es decidida de un momento a otro, con casi nada de tiempo de preparar bien las valijas.

De verdad, no todas las mujeres soportarían esta vida de sacrificios.

Lo que me ayuda a consolarme es que, cuando desembarco en los países, veo la real necesidad de nuestra presencia para ayudar espiritualmente a aquellas personas, tanto a los pastores y obispos, como al pueblo en general. En muchas naciones, una simple palabra de Edir, dada por el Espíritu de Dios, es capaz de cambiar la condición espiritual de millones de almas. Me pongo feliz al presenciar esos momentos, incluso pagando el precio de los dolores de mi cuerpo. La gratitud del pueblo en cada lugar es especial para mí.

En todos los lugares, vivo ese mismo sentimiento. En los países latinos, como Argentina, México, Colombia, Chile, Venezuela, Ecuador, entre tantos otros, somos abrazados con tanto cariño que muchas veces nos sentimos indignos. En el continente europeo, con una manera peculiar de comportarse, más contenida, pero no menos respetuosa. Portugal, España, Italia, Alemania, Inglaterra, Francia, Turquía, Grecia, Suiza. Y ahora, en los últimos años, con la forma acogedora con la que la Iglesia fue recibida en las naciones del este europeo, como Rusia, Ucrania, Rumania y Moldavia. En Estados Unidos, de costa a costa, de Florida a California, también mujeres y hombres de mucha fe. Y los asiáticos que siempre nos sorprenden cuando viajamos para allá con la expansión cada vez mayor del Evangelio. Japón, Filipinas, Hong Kong.

Al pisar el territorio africano, el lugar en el que más vivo los sufrimientos provocados por los viajes, basta participar de las primeras reuniones para sentirme más revitalizada. Incluso continuamente batallando contra el malestar, noto enseguida el calor humano y la fe de todos, principalmente de las mujeres. Llegamos a vivir allí en 1993, más precisamente en Sudáfrica. Durante un período vivimos recorriendo las principales ciudades del continente, cuando conocimos aún más de cerca los sueños de esperanza y las necesidades de ese pueblo tan querido.

Hasta hoy, cuando mi marido vuelve a África, parece sentirse en casa. Estoy segura de que él solo no regresa allá con más frecuencia en consideración a mis dificultades físicas. Si fuera por él, pasaríamos meses y meses predicando en cada punto olvidado de ese continente, en los lugares más remotos y complicados a los cuales llegar, donde hay multitudes de sufridos, totalmente abiertos a recibir la Palabra de Dios. Su sueño de evangelizar allí viene desde los tiempos en los que estábamos de novios, aún en Río de Janeiro. No perdía la oportunidad de comentarme sobre su determinación de un día conquistar almas en las ciudades, villas y tribus africanas.

Para mí, convivir con ese pueblo marcado a lo largo de los siglos por una trayectoria de opresión y enfermedades fue una experiencia sorprendente. Aprendí mucho con ellos. Nuestra familia comenzó desde cero la Iglesia en la Ciudad del Cabo, en Sudáfrica. Apenas llegamos, Edir fue enfático:

— Vamos a enfocar nuestra evangelización en la población negra. Ellos saben qué es el sufrimiento. Necesitan ayuda — ponderó, como siempre, lleno de convicción.

Fue una época muy linda para toda nuestra familia. Edir trajo a nuestro yerno Renato para cuidar el trabajo allí y a mi otro yerno, Júlio, para que aprendiera la lengua y eventualmente continuara el trabajo. Entonces, después de algunos años lejos de mis hijas, estábamos nuevamente juntas. Todas las mañanas, Edir se reunía con la familia para leer la Palabra de Dios y orar. Cristiane estaba casada hacía tres años y Vivi hacía dos. Moysés ya tenía sus ocho añitos.

Mi hijas y yo éramos las únicas obreras en los primeros cultos de esa ciudad. Atendíamos a las mujeres necesitadas, ungíamos a los enfermos, oíamos sus desahogos, orábamos con ellas. Las historias de milagros se multiplicaban, muchas veces, de una semana a otra.

— Desapareció el quiste, señora Ester. ¡Estoy curada! — gritó una de ellas, apenas me vio dentro del templo.

Los días en los que caminé por los barrios pobres de la región, acompañada de mis yernos y mis hijas, distribuyendo folletos e invitaciones para las reuniones, no se van a borrar tan pronto de mis recuerdos. La multitud se disputaba el pedazo de papel.

— ¡Yo quiero! ¡Yo quiero! — imploraban, en medio de un pequeño tumulto.

Muchos incluso avanzaban sobre los autos de la Iglesia. Otro recuerdo, triste en este caso, es cuando Edir preguntaba durante el culto quién estaba contaminado por el virus VIH, el Sida. El noventa por ciento de la Iglesia levantaba las manos. Al principio, tuve que acostumbrarme a la pasión de la población por la música y por el baile. Mi esposo incorporó esas características culturales a la manera de cómo conduce las reuniones, sin nunca dejar de enseñar a vivir por la fe inteligente. La ropa colorida y los gritos entusiasmados son comunes durante los cultos.

Los miembros africanos, a su vez, también tuvieron que acostumbrarse a nuestra presencia en su día a día, a fin de cuentas, éramos un grupo de blancos e inmigrantes predicando sobre la superación. Para la mayoría, la presencia de un blanco en su vida significaba únicamente malos tratos y explotación. Eso quedó en evidencia en la llegada de la Universal en Soweto, barrio de Johannesburgo, escenario de conflictos del pueblo negro contra el *apartheid*, el régimen de segregación racial que dominó a Sudáfrica durante mucho tiempo. En ese período, blancos y negros no se mezclaban. El prejuicio y la violencia reinaban en las calles. Incluso con el fin del régimen, aún existía una brutal rivalidad en el país. La mayoría de la población negra era muy pobre, obligada a vivir separada de los blancos. Soweto siempre fue su lugar.

Desde que nos mudamos a África, Edir repetía que deseaba abrir un templo espacioso y cómodo en el corazón de Soweto. Eso sucedió en 2009 cuando diez mil sudafricanos participaron de la inauguración de una catedral lindísima de la Universal.

Yo acompañé a mi marido en el culto, claro, debidamente vestida con los trajes típicos del lugar.

El primer paso de la llegada a Soweto, sin embargo, fue alquilar un edificio viejo y abandonado, con estructura precaria, en una calle residencial del barrio. Era un lugar descuidado, con vitrales rotos en las ventanas, por donde entraban muchas palomas que ensuciaban el salón. El piso estaba revestido de cemento mal terminado. El espacio amplio tenía capacidad para dos mil personas, pero, en poco tiempo, comenzó a juntar a sudafricanos del lado de afuera. El sonido también era muy malo. Teníamos solo un parlante. No había altar.

El día de la inauguración de esa pequeña iglesia, mi marido predicó en la calle arriba de un cajón de madera de un pequeño mercado vecino. Por primera vez, quién sabe, las personas de raza negra oían palabras de igualdad en nombre de la fe.

— Sí, ustedes pueden vencer. Sí, Dios los ama a ustedes como ama a los blancos. Nosotros estamos de su lado. Delante de nuestro Dios, los negros y los blancos son plenamente iguales — declaró Edir, al micrófono.

Y bailábamos, cantábamos y orábamos, abrazados lado a lado con ellos. Sonriente, mi marido se ocupó de saludarlos uno por uno después de la reunión. Muchos le pasaban la mano por su cabello. Algunos bajaban la mirada como una tradicional costumbre de reverencia al blanco.

— No, amigo. Conmigo no tienes que mirar hacia abajo. Levanta la cabeza, somos iguales. Estamos juntos en la misma fe — afirmaba, y enseguida recibía un abrazo fervoroso.

Yo observaba todo a pocos metros de allí. Fueron escenas conmovedoras. Era el primer paso. De allí en adelante, África abrazó a la Universal en todo el continente. Decenas de naciones, millares de familias de diferentes costumbres, dialectos e idiomas, sin divisiones, unidas por el Espíritu de la libertad.

Genios en conflicto

Yo puedo hablar con propiedad de familia. Esposa, madre, abuela, hija. Mi matrimonio cumplirá 45 años en el 2016. No viví todo este tiempo solo en luna de miel, pero aprendí a superar mis diferencias con Edir y a disfrutar hoy de una unión feliz. A pesar de enfrentar muchas luchas en el día a día, construimos una relación victoriosa.

Mis hijas son ejemplos de mujeres de Dios. Casadas, siguieron la vocación de los padres, están realizadas en todos los aspectos. No soy una esposa correctísima, perfecta, ni una madre de familia formada solo de cualidades, muy por el contrario, pero el tiempo de relación con Dios me enseñó a asimilar los principales atributos de una mujer virtuosa. Aprendizajes que continúan, antes que para cualquier mujer, sirviendo primero para mí misma.

El matrimonio es el principio de todo. En un almuerzo en Portugal con nuestra nieta, Vera Freitas, Edir le aconsejaba a la querida joven de 24 años cómo encontrar al marido ideal.

— Cuídate a ti antes que a tu belleza. Tu aspecto y tu educación son importantes, claro, presérvate para mantenerte con una buena apariencia y estudia siempre, pero, sobre todo, debes representar a la madre de tu futuro esposo.

Verinha se llevó un susto. Yo solo observaba el diálogo.

¿Cómo es eso, abuelo? ¿Representar a su madre? ¿Qué es lo que usted está queriendo decir? — cuestionó, intrigada.

Comenzaba allí una inspiración que ha abierto los pensamientos de muchas mujeres y que ha ayudado a innumerables parejas a construir una unión de más armonía.

— *Verinha*, debes cuidar a tu marido representando a su propia madre. ¿Quieres que tu marido te ame? ¿Quieres que sea fiel a ti? ¿Quieres que sea tu protector? Entonces, asume el papel de la madre de él. Si lo haces, tendrás un esposo para el resto de la vida. Tendrás todo de él.

Apenas comprendí la enseñanza de Edir, inmediatamente decidí compartir el mensaje con las mujeres de la Iglesia detallando más sobre esa tesis, al mismo tiempo, tan simple y reveladora, pero que termina por pasar desapercibida por todos nosotros.

El fundamento puede ser entendido por el nacimiento de un niño y el desarrollo del ser humano a lo largo de la vida. La mujer cuida al hombre desde su nacimiento. Al nacer, el hombre ya se apega al seno de la madre, que le da el alimento para vivir y crecer saludable. Cuando el hombre crece, sea en la infancia o en la juventud, continúa teniendo esa necesidad suplida por su madre, que diariamente prepara sus comidas y cuida su bienestar general. Con el tiempo, al casarse, inconscientemente, el hombre busca a una esposa para sustituir a su madre para obtener los mismos cuidados. Y es entonces cuando muchos matrimonios fracasan: la mujer simplemente no hace ese papel incluso porque, en los días actuales, eso va en contra de todo lo que aprendieron de sus madres.

He buscado mostrar cómo muchas esposas no valoran al hombre que tienen a su lado cuando dejan de cuidarlo en el sentido del confort de la casa, de la alimentación y de otros cuidados, mucho más que simplemente atenderlo en los momentos íntimos.

Las más jóvenes, por ejemplo, actualmente no asumen más el papel de ama de casa con placer. Se sienten avergonzadas o disminuidas en ocupar esa posición. No significa que deben dejar los estudios, el trabajo o la carrera, pero no pueden dejar de ejecutar o liderar sus funciones en el hogar. Organizar la casa, dejar la comida lista, ordenar la ropa, esperar al esposo feliz al final del día. Eso está fuera de moda hoy en día. Muchas esposas compiten con su marido. Disputan el mejor empleo, el mayor salario, quién es el más inteligente. Y al final, siempre terminan mal en el amor.

El hombre piensa así: «Mi madre me cuidó, ahora es mi esposa quien me va a cuidar». Esa es su expectativa porque desea sentirse valorado. Siempre busqué poner eso en práctica. Incluso después de que mejoramos económicamente y pudimos tener ayuda doméstica, yo misma plancho la ropa, ayudo en las comidas de Edir y estoy todo el tiempo atenta a su salud. Cuido a mi esposo lo máximo que puedo, incluso en medio de mis imperfecciones. Tengo placer de ir al supermercado solo para elegir personalmente productos de calidad, uno a uno, para ofrecerles lo más saludable que existe a mi marido y a mis hijos.

Hay esposas que no se preocupan ni un poco cuando su marido dice que tiene algún dolor, por ejemplo. Si oyen reclamos por alguna molestia, generalmente lo mandan a que se las arregle solo. Cuando el hombre necesita un cariño, enseguida es ignorado.

¿Cuántas son incapaces de esperar a su compañero con una sonrisa al final del día? Siempre están amargadas, con cara de enojadas, armadas para el ataque. Prefieren quejarse sobre la toalla mojada arriba de la cama. Muchas tienen el coraje de ofrecerle comida congelada a su marido. Por más que sea un plato rápido, si lo que la esposa pone en la mesa llega lleno de ternura, tiene un sabor especial. Jamás se esfuerzan por preparar un plato de la manera que al esposo más le gusta.

Una madre no hace eso. La madre es madre.

La esposa que representa bien la figura de la madre, da cariño y cuida a su marido con todas sus fuerzas. Por eso, nunca será cambiada. Existen innumerables mujeres en el mundo, a veces incluso más hermosas y sensuales que ella, pero ella es la única. Madre hay una sola. Esposa hay una sola. Ambas son insustituibles.

— Mi crianza fue exactamente así. Mi madre cuidada a todos los hijos, a mi padre y a la casa muy bien — recuerda Edir.

Mi esposo cargaba esa referencia relevante y deseaba a alguien que representase a su madre a la altura de ella. Fui criada de la misma manera: para ser una esposa que lo cuidara de la misma manera que su madre. Por esa razón, busqué mejorar y aprender en los puntos que aún no lo agradaban al principio del matrimonio, por más simple que pudiera parecer. Aprendí a prepararle el arroz e incluso el poroto negro de la misma manera como el de mi madre y la de él. Llegué a orar para que Dios me diera sabiduría. Edir es muy exigente con el sabor de la comida.

— A pesar de que ya haya fallecido, veo a mi mamá en Ester. Su cuidado por nuestra casa y por mí me remite al cariño y al amor de mi madre. Es algo sublime que me conquistó — añade mi marido.

La mujer, a su vez, busca en su esposo la figura que representa a su padre. Desea la misma seguridad que su padre le garantizaba cuando era niña y joven, antes de irse de su casa para entregarse a su esposo. Busca a quien represente el papel del protector, del proveedor, de quien va a asegurarle la manutención del hogar. Esa es la atribución del marido.

Por lo tanto, para que un matrimonio salga bien, para que una unión conyugal funcione en paz y en felicidad, es necesario que el hombre y la mujer, respectivamente, ejecuten cada uno su debido papel.

No logro ser feliz sin Edir. Él tampoco logra vivir sin mí. ¿Por qué? A causa de esa dependencia mutua. Yo dependo de la seguridad de él y él depende de mis cuidados. No renunciamos a eso. Tenemos un matrimonio feliz porque practicamos esa enseñanza en nuestras vidas, incluso conociendo uno los errores del otro.

E importante: vivir así no puede ser una imposición. No aprendimos a representar la figura del padre y de la madre por exigencia mía o de él. Nada sucedió por la fuerza, con reclamos, o basados en la obligación. Nunca fui de imponerle nada a nadie. Incluso, en eso mi marido y yo estamos de acuerdo: no aprobamos imposiciones.

Respetamos la libertad de cada uno, dentro de nuestra familia o no. Ese es un principio seguido al pie de la letra por nosotros. La propia Universal es así. En las reuniones, los pastores y obispos jamás le imponen nada al pueblo. Ellos cumplen únicamente la función de alertar lo correcto y lo incorrecto a la luz del Texto Sagrado. Quien decide qué hacer es la propia persona, de acuerdo con su consciencia, sin imposiciones. Así sucedió en nuestro matrimonio.

Otro cuidado que la mujer debe tener es con las palabras. En los encuentros de la Iglesia en Brasil o en el exterior, suelo reforzar nuestra importancia para influenciar los rumbos de un hogar. La palabra de la mujer es decisiva en la vida de los hijos y del marido. Cuando está bien, toda la familia está bien. Cuando está mal, todos sufren. Cuando quiere poner una idea o un sentimiento en el corazón del marido, por ejemplo, lo logra.

Tengo la consciencia de que mis opiniones ejercen una fuerte influencia sobre Edir. Sé también que muchos consejos ya hicieron que mi marido acierte en sus elecciones y decisiones. Otras veces, su determinación y certeza eran tan grandes que actuaba solo impulsado por la fe. Él me oye cuando hablo, casi siempre acepta todo. Por eso, busco tener una enorme cautela con las palabras para evitar el riesgo de provocar daños. Pero ya me equivoqué en eso también, y cuando mi marido ve que dije algo fuera del espíritu, me corta enseguida. Él es muy sensible a las palabras y no siempre mi lado emotivo actúa con cautela. Pero gracias a Dios por eso. Nuestros defectos nos llevan a depender aún más del Espíritu de Dios para obtener sabiduría.

Además, si las mujeres tienen ese poder en las manos para construir o para destruir, entonces debemos tener el máximo de cuidado al hablar. ¿Y cómo prevenirnos de hacer el mal? ¿Y cómo podemos influenciar a nuestros hijos y a nuestro esposo siempre para hacer el bien? Buscando en Dios esa capacidad y la sabiduría de lo Alto, por lo tanto, eso se convierte en una necesidad de toda mujer. Es por esa razón que, para ser de Dios, tenemos que ser espirituales para, entonces, saber identificar una situación incómoda y entender cómo ubicarse.

Busqué asimilar eso en estos años de vida con Edir. Nunca fui de hablar mucho, es verdad. Mi marido siempre valoró esa característica mía. Lo más importante que aprendí, a causa del temperamento de él, es cómo y cuál es el momento indicado para expresarme. Hasta hoy es así cuando quiero decir algo: hago un rodeo, jamás uso el tono imperativo o doy órdenes. Sé que su cabeza está repleta de preocupaciones, tengo la obligación de respetar eso.

Cuando el esposo comparte un problema, la mujer de fe tiene que buscar la palabra indicada para aconsejarlo. Y si el esposo no sigue su recomendación, ella simplemente ora. No reclama ni murmura o pone mala cara. No provoca ni menosprecia a su esposo, mucho menos hace comentarios maliciosos con el objetivo de herirlo o disminuirlo. Ella debe sacrificarse con amor. Aceptar enfadada, ofendida, enojada, no es aceptar. Es no saber someterse.

Mi marido siempre tuvo un temperamento fuerte, decidido, firme. Cada tanto tenía un arranque de ira, cercano a la grosería. Se enojaba, se enfurecía de tal manera que asustaría a cualquier mujer. En ese momento, mis ganas eran de responderle al mismo nivel, pero sabía que eso no era sabio, que solo generaría un conflicto mayor. Como dice el proverbio: *«La blanda respuesta quita la ira; mas la palabra áspera hace subir el furor»* (15:1).

Hasta hoy hago eso: respiro profundo y me callo. ¿Es fácil? ¡Ni un poco!

Espero que pase la tempestad y, antes de hablar con mi marido, oro. Pido que el Espíritu Santo hable por mí y que me dé sabiduría para actuar. Y debo decirlo: funciona.

— Si mi padre no tuviera el matrimonio que tiene, no sería quien es. Mi madre enseña valores que ella misma tiene. Nunca tuve dudas de Dios, ni tuve ganas de conocer el mundo. Yo quería un matrimonio con el exacto modelo que mis padres siempre vivieron — reflexiona Cristiane, que hoy, al lado de su marido Renato, se dedica al Movimiento Matrimonio Blindado.

La diferencia de edad entre Edir y yo es de cinco años. Cuando nos casamos, él tenía 26 años y yo, 21 años. Actuamos de manera infantil durante mucho tiempo, lo que también provocó innumerables conflictos. Recuerdo cuando, cierta vez, tuvimos una discusión fuerte en casa en los primeros años de casados. Edir comenzó a hablar alto, con un tono agresivo, acercándose más a mí. Su enojo aumentaba conforme llegaba más cerca. Sin saber cómo actuar, solo le dije:

— ¡La sangre de Jesús tiene poder!

Edir no resistió y comenzó a reírse. La pelea terminó allí mismo.

Fallas y aciertos como madre

Mis hijas fueron responsables por una de las mayores alegrías y nostalgias de mis 66 años de vida. Alegría al ver en quiénes se transformaron, mujeres bien casadas y completas, y nostalgia por haberse ido de casa tan jovencitas. Las dos intercambiaron alianzas en el altar con solo diecisiete años. En este caso, la falta de ellas fue compensada por la felicidad de verlas tan bien tratadas por sus maridos.

Tuve una presencia activa en la infancia y adolescencia de ellas, acompañando el crecimiento, la madurez, los conflictos y las superaciones de cada una hasta que decidieron dejar nuestro hogar y asumir una familia. Incluso estando casadas, aún me tienen como consejera para los más distintos desafíos que surgen por el camino. Y tengo placer en ejecutar ese papel el tiempo que sea necesario. Para mí, las dos siempre serán esas jovencitas juguetonas, agraciadas, divertidas y necesitadas del regazo de su madre. Propiciar ese afecto también me hace bien.

A lo largo de su crianza, tuve puntos positivos y negativos como madre. Cometí innumerables fallas como las que asumí algunas páginas antes, en el capítulo «Delante de mis errores». No fueron conscientes, ocurrieron muchas veces como resultado de mi poca edad o incluso de rasgos de mi personalidad. Pero me equivoqué, sí, y no tengo vergüenza de reconocerlo. Lo veo como una actitud importante para compartir con las mujeres mis experiencias y, así, poder auxiliarlas en la formación del carácter de un hijo. A fin de cuentas, ¿qué madre no desea encontrar instrucciones para garantizar un futuro feliz para quien tanto ama?

Comparto aquí también mis posibles aciertos que transformaron a Cristiane y a Viviane en quienes son hoy.

Cuando no tenían ni siquiera diez años, las dos se peleaban mucho como todas las hermanas. Pequeñeces de niños, pero que exigían una intervención más dura de mi parte. A veces, solo dejaban de pelearse cuando veían mi chinela. Por más que Edir fuera el más enérgico de nosotros dos, yo era la que tenía que hacer el papel de educarlas, ya que él no estaba tan presente. Lo interesante es que ellas incluso ya sabían que él era solo un trueno, pero que nunca las golpeaba. Quien las golpeaba era yo.

No es que lo hiciera siempre, pero, de vez en cuando, era necesario. A veces, solo una había hecho algo malo, pero tenía que disciplinar a las dos, si no se armaba otra pelea en casa. Muchas veces utilizaba la herramienta más eficiente: las enseñanzas de Dios. Claro que, para eso, ellas tenían que estar calmadas. Las juntaba a las dos y les contaba la historia de José. El hombre que fue vendido como esclavo por sus propios hermanos por envidia y celos del amor que su padre nutría por él.

Yo me identifiqué con ese pasaje desde niña, cuando me ayudó a superar ciertas intrigas bobas con mis primas e incluso con algunas hermanas. Les mostré a Cris y a Vivi cómo a Dios no Le agrada el deseo de competencia y la frustración entre las personas, sobre todo, dentro de la misma familia. El hecho de cómo José, elegido por el Señor para reinar sobre Egipto, logró vencer la situación, dejaba eufóricas a las chicas. Les explicaba a las dos cómo debían comportarse en la Casa de Dios, calladas y tranquilas, aunque no siempre saliera bien. Ellas veían, a través de mi comportamiento, cómo yo buscaba ser una mujer de temor, sincera, correcta con mis principios. Nada más que granitos de fe lanzados en el espíritu y en la mente de ellas.

A pesar del tiempo escaso, dedicado a los cuidados de la Iglesia, Edir también buscaba dar ejemplos que hablaban por sí mismos. Todo fin de año, les enseñábamos a nuestros hijos a elegir y donar personalmente sus juguetes y su ropa a los niños menos favorecidos de barrios necesitados. Un simple gesto con una lección noble. Hoy, exactamente como la madre, mis niñas aprendieron a no apegarse a ningún bien material ni a ningún lugar como esposas de obispos.

Desde pequeñas, ambas siempre tuvieron temperamentos diferentes. Cris salió a mí en su manera de ser más mansa y comprensiva. Vivi salió a su padre en su manera de ser más nerviosa y agitada. Incluso con perfiles opuestos, nunca dejaron de ser niñas que se comportaban bien y obedientes. Todo el tiempo estaban juntas, una divertía a la otra, eso cuando las bromas no terminaban en pelea o en llanto, y exigían mi intervención inmediata.

Es curioso cómo hasta hoy cargo ese sentimiento constante con mis hijos: la preocupación de que aún necesitan mis cuidados. Continúo haciendo todo para ellos con alegría y amor, como siempre lo hice, incluso ya siendo adultos. Recuerdo cómo me gustaba ver a mis niñas bien arregladas. Tardaba días seguidos en hacerles varios vestidos. Hasta hoy la costura es uno de mis pasatiempos predilectos.

Ya crecidas, cada una aún mantiene su manera de ser. Cristiane tiene la tendencia de oír, es más maleable a mis correcciones. Vivi demuestra resistencia mayor, necesita un poco más de tiempo, pero reconoce sus fallas. Sin embargo, las dos me respetan mucho y me admiran como madre. Es una honra ver eso en nuestros hijos.

De hecho, lo más importante para los padres en la crianza de los hijos es dar el ejemplo. No existe otra forma más eficiente de educar. Sin imposiciones o agresividad, el comportamiento de la madre, especialmente, es una referencia para los hijos. Eso vale para la infancia, pero también para cuando pasan a la llamada edad de la razón, ese momento en el que tenemos la consciencia de lo correcto y lo incorrecto. Generalmente esa fase de la edad ocurre en la entrada a la adolescencia. En ese período, es imposible hacer elecciones por los hijos. Los padres pueden incluso enseñar, pero no logran obligarlos a seguir el rumbo correcto.

Yo adopté eso en casa y funcionó. Las niñas no nos dieron dolores de cabeza en la adolescencia, generalmente la fase en la que, considerándose adultas, las jóvenes suelen quitarles el sueño a sus padres. El conocido período de la rebeldía fue justamente el momento en el que se interesaron más por Dios. Nunca me preocupé por incentivarlas a la formación universitaria. Estudiaban, les pedía que tomaran la escuela en serio, pero sabía que seguirían el camino de servir a Dios. Ese deseo floreció en las dos conforme se involucraron con el mundo de la fe.

Con la llegada de la juventud, Cris y Vivi decidieron, por cuenta propia, concurrir con asiduidad a las reuniones, ser obreras, buscar sus experiencias individuales con Dios. Juntamente con ese comportamiento, nació dentro de ellas el sueño de construir un matrimonio bendecido, cimentado en el Altar.

En nuestras charlas privadas, le reforzaba a cada una que, aunque tuvieran estudios fuera de Brasil y toda la capacidad intelectual, si no tenían un buen marido, serían completamente infelices. Y solo había un camino para la realización de ese objetivo: el encuentro con Dios. Fue entonces, en esa época, aún adolescentes, que Cristiane y Viviane optaron por seguir el mismo camino que su madre: dedicarle la vida al Evangelio como esposas de pastor.

También participé, con satisfacción, en la ayuda de la elección de sus maridos. Mis dos yernos son como hijos para mí. Los aprecio y los amo a los dos. El llamado y la espiritualidad de ellos están en sus venas. El buen trabajo en las iglesias por donde pasaron lo revela. Además de amar a sus esposas, los dos también contribuyeron al crecimiento espiritual de ellas.

El primero que despertó mi atención fue el elegido de Cristiane. Estaba en una reunión de pastores, en San Pablo, cuando vi a un joven muchacho llamado Renato Cardoso. En el momento en el que lo vi, pensé en Cris. Busqué saber más sobre él y tuve excelentes recomendaciones de sus superiores. Le comenté a ella que ese muchacho me parecía interesante y que tenía el perfil de hombre de Dios. Pocos meses antes, solas en casa, ella me había contado de forma confidencial un deseo:

— Mamá, quiero casarme con mi primer novio. Quiero un muchacho moreno, inteligente, que quiera ser pastor como mi padre.

Resultó. Renato fue el primer y único novio de Cris. El noviazgo de los dos duró diez meses. Edir y yo queríamos que nuestras hijas se casaran temprano, pero en el instante en el que pasé a imaginármelas lejos a las dos, se me apretó el pecho. Cuando Renato nos comunicó oficialmente que deseaba casarse con Cristiane, la ficha cayó.

— Perdí a mi hija, Edir — me lamenté, con el corazón apretado.

Es de la naturaleza, no puede ser diferente: para la madre es como perder a su bebé.

— Calma Ester. Incluso pienso que se está casando tarde. Quiero que las niñas sean felices con hombres de Dios — él rebatía, con fuerza.

Cristiane solo esperó a graduarse para casarse y, el siguiente año, fue el turno de Viviane. No existía otra manera.

No sabía que esa nostalgia solo aumentaría con el transcurso del tiempo. Vivimos lejos unas de las otras durante muchos años en una época en la que no había internet y las facilidades de comunicación que existen hoy. Con el tiempo, ese sentimiento se transformó en una especie de nostalgia buena, un consuelo por saber que estaban bien y felices, al lado de sus maridos, haciendo la Obra de Dios.

En los momentos que antecedieron al casamiento de Cristiane, busqué estar presente al máximo en su día a día. Elegimos juntas el vestido de novia, la música de la entrada a la Iglesia, el bouquet y la decoración. Fueron semanas de mucho afecto. Antes de la ceremonia, en casa, cada vez que oíamos juntas el tema musical, llorábamos.

Lo peor fue enfrentar el terremoto de agresiones contra mi marido y la Iglesia. Era el auge del período de las persecuciones. Fue un estrés seguido de otro, del comienzo al fin. Casar a la primera hija siempre es un recuerdo magnífico para todas las madres. Había esperado aquel momento con mucha ansiedad, esforzándome para que todo saliera bien y se convirtiera, de hecho, en un recuerdo especial para mí y para toda nuestra familia. Entregar a nuestra hija a su esposo, en la Iglesia, bajo las bendiciones de nuestro Dios, debería marcar un instante único de placer, pero no fue exactamente eso lo que sucedió.

Las ofensas y calumnias venían de todos los sectores de la prensa. El nombre de mi marido era castigado diariamente en la televisión y en los periódicos. La presión nos alcanzó a todos. Llegamos a recibir amenazas de que arrestarían a Edir delante de Cristiane, el día de su casamiento. Así también asustaron a través de llamadas a la familia de Renato, amenazando con lo mismo.

Viví todo eso callada, como siempre actué. Solo lamento no haber aprovechado al máximo los últimos instantes de mi hija mayor soltera debido a tanta maldad de quien nos odiaba.

El 6 de julio de 1991, contra todo y contra todos nuestros enemigos, Cristiane se casó. La ceremonia ocurrió la noche del sábado en un salón de fiestas de San Pablo, ya que allí era más seguro, y no iban a entrar los periodistas a perturbar la fiesta. Tuvimos aproximadamente trescientos invitados. Apenas el auto estacionó en la puerta del salón, ya era posible oír los gritos de enojo de un grupo de personas. A los gritos de «¡ladrón!», muchos insultaban y decían groserías. Los fotógrafos y los periodistas se empujaban alrededor de Cristiane y de Edir, que rápidamente lograron entrar al salón.

— En ese momento, quedé arrasada. Tenía ganas de responderle a todo el mundo y pedir un poco de consideración con el día de mi casamiento — recuerda Cristiane, enojada.

Le tocó a mi marido intentar calmarla:

— No les des atención, hija. Hoy es tu día.

Para evitar exponer a Cris al batallón de reporteros plantados en la puerta del *buffet*, fui obligada a cambiar personalmente la organización de la ceremonia. Al final del casamiento, Renato y Cristiane caminaron hacia el fondo del salón y, en lugar de salir para las tradicionales fotos en el jardín, del lado de afuera, volvieron nuevamente junto a los padrinos y rápidamente pasaron a saludar a los invitados de mesa en mesa.

No fue lo ideal.

En ese momento, pensé en esa salida para impedir que mi hija fuera más maltratada en un día tan importante para ella y para nosotros. Como cualquier otra novia en la fecha de su casamiento, Cristiane tenía el derecho de ser respetada. Imagínese mi tristeza como madre al vivir esas escenas. El dolor de perder a Cris se sumó a la indignación por tanta crueldad.

Edir tuvo la sabiduría de ayudarnos a dejar los problemas del lado de afuera del salón al intentar calmarnos a todos. Poco antes, cuando mi marido entró al salón con Cristiane, mi corazón se aceleró. A cada paso de los dos, Viviane lloraba. Al ver la escena, los ojos de Cris también se llenaron de lágrimas. De repente, la música dejó de funcionar y mi marido nuevamente tranquilizó a nuestra hija.

Antes de entregarla en las manos de Renato, Edir le dio un beso sutil a Cristiane. No quería soltar más a nuestra hija. Las lágrimas fueron inevitables. Al ver la escena en el altar, también me emocioné, pero me contuve. Ya había llorado los seis meses anteriores a esa noche. En ese instante, los recuerdos parecían surgir como flashes en mi mente. La linda bebé de ojos claros. Los cumpleaños. La dulzura. La complicidad con su hermana. La hija respetuosa.

El día siguiente, la foto de Cris al lado de Edir salió en los principales periódicos con el título: «La hija de Edir Macedo se casa embarazada a los dieciséis años». Mi hija se casó virgen a los diecisiete años.

Mi llanto ocurrió en el mismo instante de la despedida de Cristiane, en casa. Difícil de olvidarlo. Vivi la abrazó llorando mucho. Ya no sabía cómo vivir sin su hermana protectora. Moysés tenía solo cinco años.

Pensé que iba a sufrir menos cuando Viviane se fue de casa, ya que se trataba de mi segunda experiencia de casar a una hija. Puro engaño. Mi corazón de madre no soportó «perder» a sus dos niñas en menos de un año.

La caminata de Vivi rumbo al altar también fue rápida. Semejante a lo que había sucedido con Cristiane, durante una visita a la Iglesia en Fortaleza, en Ceará, noté a un muchacho educado y simpático, con carácter de Dios, para indicarlo como su futuro marido. En ese momento, Viviane había terminado un noviazgo de tres meses y no quería saber de nuevas relaciones. Pero, apenas eso fue superado, y Júlio Freitas y mi hija se pusieron de novios, el compromiso se extendió durante un año y un mes.

El casamiento de los dos también ocurrió en San Pablo, el día 25 de julio de 1992. Edir y Vivi caminaron sonriendo por la alfombra roja de la Iglesia. Júlio estaba serio, bastante tenso. En el instante en el que realizó la oración durante la ceremonia, mi marido no soportó. Yo también lloré en el mismo momento.

Pasó una película por mi mente con tantas escenas sufridas al lado de ella. La primera imagen de la bebé en la maternidad. El susto de la deficiencia en los labios. Las series de cirugías. El dolor insoportable de operar a un recién nacido. Los cansadores y crueles tratamientos. La infección de la boca del estómago. Los gritos de desesperación. Una madre en aflicción que daría todo para socorrer a su hija. ¡Cuántas angustias!

Al verla allí, linda, recuperada, sonriendo en el vestido de novia, concretando su mayor sueño, solo fui capaz de pensar una frase:

— Mi hija venció. Gracias, mi Señor.

Hoy, Cristiane y Viviane están realizadas en el amor porque encontraron a hombres que tenían los mismos valores y principios, maridos fieles a Dios, exactamente como me sucedió a mí. Claro que, al principio, ambas también vivieron sus dificultades de adaptación al compañero debido a sus propias fallas de comportamiento, del modo de pensar y de actuar.

Sus matrimonios se fueron perfeccionando, poco a poco. Antes de casarse, ya les había dado ciertos consejos. Las orienté a las dos sobre la intimidad con su marido, sobre la conducta de ellas como esposas en las responsabilidades de la casa y, principalmente, sobre que jamás dejaran de ser mujeres de oración.

En el transcurso de la vida en pareja, nuevos dilemas surgieron. Y me mantuve y me mantengo siempre presente y dispuesta para auxiliarlas a que venzan sus barreras en el matrimonio. Charlas sinceras, de madre a hija. Fue así con Cristiane cuando, por primera vez, después de sufrir durante muchos años, decidió contarme lo que estaba sucediendo. Yo notaba sus celos hacia Renato, pero no entendía bien la causa y el porqué de ese sentimiento. Un día me pidió conversar.

— Mamá, Renato no me presta atención. No sale conmigo ni siquiera los sábados. Siempre se queda hasta tarde a la noche ayudando a preparar el periódico de la Iglesia — se desahogó, en la época en la que se dedicaban al trabajo espiritual en Londres.

En ese momento, recordé mi ejemplo del pasado y decidí alentarla.

— Cris, un día mi madre me dijo que nunca debemos quejarnos de nuestro marido. Jamás debemos hacerlo.

Y añadí:

— No hables así de él. Deberías estar feliz porque él está dedicándose a hacer algo para Dios. ¿Cuántas mujeres tienen maridos en los bares, en las calles o en los vicios? Tu marido está gastando su tiempo en la Obra de Dios.

Mi objetivo era reforzar dentro de mi hija el temor, la preocupación por estar quejándose de su esposo a causa de una actitud realizada para nuestro Señor.

Cristiane me oyó, por más que eso le doliera por dentro. Mi hija siempre tuvo la atención debida en la familia, fue difícil que se adaptara a la manera de ser diferente de su marido. Los dos resolvieron sus problemas con el pasar del tiempo, incluso enfrentando nuevas batallas. Mi propio yerno reconoció, más tarde, que Cris tenía razón en ciertas situaciones y que estaba dispuesto a cambiar. Hoy, los dos pueden aconsejar a parejas a que encuentren el camino de una vida feliz en el amor, y es lo que han hecho de una forma tan inteligente y edificante. Ahora veo cómo Dios los ha unido cada día más.

Con Viviane ocurrió algo semejante. Ella enfrentó dificultades por ser aún muy inmadura. Asumió las responsabilidades de un matrimonio y de un hogar con solo diecisiete años. En cierta época, también sintió celos de su marido. Prácticamente, le repetí mis palabras dichas a su hermana mayor:

— Comienza a acompañar a tu marido más de cerca, en todo lo que él realice. Quédate más cerca de él el máximo de tiempo. Y comprende su ausencia. Él está trabajando para Dios.

Hace algunos años, Vivi no me oía mucho debido a su carácter, pero hoy cambió y maduró mucho. Es una hija que me oye, que recibe mis consejos de forma abierta, extremadamente dedicada a su fe y tiene plenas condiciones espirituales de orientar a otras mujeres.

Por todo ese cuidado, desde el instante en el que vinieron al mundo hasta los días actuales como esposas, construí una relación de extrema complicidad con mis niñas. Intento traducir parte de ese eslabón íntimo con dos textos de Cristiane y Viviane, que reproduzco a continuación. Es una pequeña demostración de las semillas que dieron frutos.

Primero, el cariñoso mensaje de Vivi:

Una mujer admirable

Mi madre siempre estuvo presente en mi vida. Me enseñó principios valiosísimos que traigo conmigo hasta hoy.

Cierto día, un pastor nos visitó en casa y mi madre le dio nuestras muñecas para que él se las pudiese regalar a su propia hija. Ellos eran muy humildes y no tenían condiciones de tener juguetes como los que nosotras teníamos. Eso me pareció intruso o injusto y quise reclamar. Pero mi madre siempre nos hizo ver el lado bueno de las situaciones. Ha sido así desde siempre, nos ha enseñado a mirar con buenos ojos a los demás. Sin vengarse de nadie y siempre queriendo hacer el bien.

Mi madre es una mujer admirable, pues incluso en los momentos más difíciles, nunca dejó que nada nos afectara. E incluso en situaciones en las que era inevitable, nos traía tranquilidad todo el tiempo. Un aire de serenidad. Recuerdo cuando mi padre fue llevado preso. Grité de aflicción e, incluso estando perpleja, ella se mantuvo a mi lado, tranquila y confiada.

Siempre fui una hija contestadora, no aceptaba sus consejos con facilidad. En muchos momentos, fui orgullosa con mi madre y ella me lo señaló. En una vigilia, de rodillas, pedí: «Dios, yo leí y medité sobre honrar al padre y a la madre, pero mi madre me dijo que soy orgullosa. Y no logro ver como ella me ve, Dios. ¡Quiero honrar a mi madre! ¡Lo quiero! ¡Quiero ver mi orgullo! Quiero resolver esto. Porque todo lo que ella me dice, no lo acepto. No quiero más eso en mí. Quiero honrarla. Y honrar es aceptar, es someterse». En esa vigilia lloré mucho, me derramé.

Días después, de madrugada, pasó una película en mi cabeza y comprendí todo, todo mi orgullo. Le pedí perdón a ella y a Dios. Después de ese día, voy a ser muy sincera, comencé a admirar a mi madre como nunca. Mis ojos comenzaron a ver su belleza y la identifiqué con la belleza de Dios.

Ella no aparece porque se hace aparecer. Mi madre es simplemente del mismo modo como veo a Dios. Su riqueza no está en ser vista por las personas, por sus talentos, sino por quién se permite ser. Solo quien la aprecia es alcanzado por esa riqueza, que es, como yo digo: rara.

Su carácter está forjado en el Espíritu de Dios. Una mujer virtuosa, un ejemplo a ser seguido.

¡Te amo, mamá!

Ahora, el afectuoso texto de Cris:

La lámpara que no se apaga

«Ve que van bien sus negocios; su lámpara no se apaga de noche» (Proverbios 31:18).

Muchas mujeres quieren tener una familia, pertenecer a un marido, dar a luz a hijos y tener una casa. Pero observo cómo muchas de ellas se olvidan completamente de lo que querían a partir del momento en que reciben estas cosas de Dios. Yo tuve un ejemplo de una gran mujer de Dios en mi vida: mi madre.

Ella siempre apreció y cuidó lo que recibió del Señor Dios. Y la forma como demuestra eso es ofreciéndole lo mejor de ella a su marido, a sus hijos y cuidando el hogar. Demuestra su amor y su gratitud al cocinar cariñosamente, pero también cuando ordena la casa, cuida la ropa, hace sus compras, organiza su día, decora la casa e invierte en la comodidad de su familia. Esas son sus responsabilidades y revelan cuánto siempre apreció a nuestra familia.

Aprendí con mi madre que una mujer es la lámpara de su casa.

Mi madre es el tipo de mujer a la que le gusta y sabe apreciar. Aprecia a mi padre, a mi hermana, a mi hermano y a mí, a sus yernos, a sus nietos, a nuestros amigos, a nuestro trabajo, a nuestro tiempo, a nuestra apariencia, a nuestras casas, a nuestros planes, a nuestros sueños, a nuestra fe.

Le gusta decir: «Te amo», «Eres linda», «Te extraño». Nos abraza y nos besa todo el tiempo. Siempre cariñosa hasta al hablar por teléfono… Siempre me dice «Crisoca».

A mi madre le gusta pasar tiempo con nosotros, aunque eso signifique solo sentarse a nuestro lado en el sillón y quedarse allí. Ama dar regalos y estoy un poco malacostumbrada con eso. Una mujer llena de virtudes. Su lámpara nunca se apaga y tengo la certeza de que aprecia de verdad a todos sus negocios.

Gracias, mamá.

¡Te amo!

Palabras de Moysés

Alrededor del cajón, mis parientes se abrazaban en silencio. Algunos lloraban bajito, otros miraban consternados. La sala del velorio parecía llena. Mi familia entera estaba allí, en uno de los instantes más dolorosos para mí en 2016: la pérdida de mi nostálgica y querida madre. Fue más que un consuelo contar con el apoyo de quien una ama tanto.

Antes de viajar al velorio, le dije a mi hijo menor, Moysés, ocupado con sus estudios y quehaceres en el trabajo, que no era necesario que fuera conmigo y que comprendería muy bien su ausencia. Pero se negó a aceptar mi sugerencia y estaba allí, a mi lado, cerquita mío.

— Me ocupé de estar cerca de ella todo el tiempo en ese momento difícil. Fui para mostrarle a mi mamá cuán importante es para mí.

Moysés entró en nuestra familia en 1985 cuando tenía solo catorce días de vida, cuando yo ya era madre de Cristiane y Viviane.

— Póngale de nombre Moisés. Póngale de nombre Moisés — repetía Edir, cada vez que, en el pasado, una esposa de pastor quedaba embarazada o cuando uno de ellos adoptaba a un nuevo niño.

Mi marido insistió en la sugerencia durante mucho tiempo, sin ser atendido.

— ¿Por qué nadie oye mi pedido? — bromeaba.

Él me decía que consideraba el nombre del libertador del pueblo de Israel, protagonista de una de las más fascinantes historias de la humanidad, uno de los más bellos de la Biblia. Y fue así que le sugerí el bautismo de nuestro tercer hijo en medio a un episodio completamente imprevisible.

Estábamos en pleno culto de domingo temprano en la Iglesia de Abolição, en Río, cuando, de repente, una de las obreras me llama para hablar en privado.

— Señora Ester, hay una muchacha diciendo que desea darle un bebé al obispo.

Yo estaba bien adelante del Altar, de pie, debido a la gran cantidad de personas.

— ¿Qué? ¿Cómo es eso? ¿Darle un bebé? — le cuestioné a la obrera, sin entender lo que ocurría.

No era el momento de la prédica del mensaje en la reunión. La muchacha, que aparentaba no más de veinte años, se me acercó y me entregó al niño recién nacido. Me asusté. Decidí caminar hacia el altar para explicarle a Edir lo que estaba sucediendo. Antes, le pregunté a la madre:

— Pero, ¿estás segura?

— Tengo otro hijo, no tengo condiciones. Necesito trabajar, no tengo cómo cuidarlo. Necesito dar a este niño — respondió, afligida.

Bien adelante del púlpito, llamé a mi marido.

— Edir, esta muchacha quiere darte este bebé.

Él miró sorprendido y, en el mismo instante, reaccionó:

— ¿Quiere darme al bebé? ¿Está segura?

Miró al niño, le pasó la mano sobre la cabeza, lo tomó en los brazos y le dijo a la mamá de la criatura:

— ¿Usted me está dando este bebé a mí? Por favor, suba aquí y explíquelo delante de toda la Iglesia.

— Desde que quedé embarazada, pensé en darles a mi hijo — explicó.

— ¿Usted sabe lo que está diciendo? ¿Sabe cuántos testigos hay aquí? Hay dos mil personas oyendo lo que está afirmando, además de una multitud por la radio.

— Sí, estoy segura de esto.

Edir me miró. Solo tuve tiempo de decirle:

— Preséntalo como Moysés. Quieres tanto ese nombre. Ponle de nombre Moysés.

Enseguida, levantó al bebé sobre la cabeza y lo consagró a Dios en oración junto a toda la Iglesia.

— Nació ahora el Moysés de la Iglesia Universal.

El público que acompañaba la reunión aplaudió durante algunos minutos. Nuestros ojos brillaban de alegría. Sentí un cierto frío en el estómago. Una mezcla de satisfacción y miedo, a fin de cuentas, ahora era un recién nacido bajo mi responsabilidad.

La madre lo entregó apenas con la ropita del cuerpo. Antes de irnos, lo amamantó una vez más. Llegó a casa con salpullidos y usando en el pañal un alfiler oxidado. Al día siguiente fue iniciado el proceso oficial de adopción. Lo interesante es que nunca habíamos pensado en adoptar a un niño. No teníamos esa intención.

La familia entera quedó radiante con la llegada de Moysés. Las muchachas, Cristiane y Viviane, disputaban para sostener al bebé. La primera noche, como no había en casa ninguna estructura para recibir a un recién nacido, él durmió en una caja de muñecas de las chicas. Cris fue la elegida para cuidarlo durante la noche las primeras semanas. Ella tenía solo doce años y Vivi, diez. Para las dos, fue un privilegio cuidar a su hermano. Moysés era un bebé muy tranquilo, a la noche casi no lloraba, pero ellas estaban siempre dispuestas para una caricia en el caso de que fuera necesario.

La unión entre las hermanas y nuestro Moysés siempre fue muy intensa. Cuando Cris se casó, se llevó a su hermano menor a vivir un tiempo con ella en Estados Unidos. Él también siempre fue muy apegado a mí. En Nueva York, aún muy pequeño, Moysés dejaba su cama de madrugada, lograba abrir la puerta de mi dormitorio y se acostaba a mi lado, en el piso, esperando a que lo tomara y lo acostara conmigo. Fue una fase especial para todos nosotros. Hasta hoy, busco estar junto a él lo máximo que puedo. Soy capaz de estar el día entero fuera de casa solo para tener la compañía de mi hijo.

Moysés es un muchacho verdadero. Para mi marido y para mí, él es un regalo de Dios que estuvo y siempre estará en nuestras oraciones, esté donde esté y sea cuando sea.

— Admiro a mi mamá por llevar mi foto a las reuniones de la Iglesia para orar junto a las otras madres. Respeto mucho eso que ella hace.

Carta abierta de los nietos

Ser abuela fue una experiencia placentera. Mi referencia de esa figura tierna de la familia era la de una señora temerosa a Dios, discreta, cariñosa y todo el tiempo dispuesta a brindarle atención a sus nietos. Recuerdo sus conversaciones llenas de delicadeza, los chistes, las risas, la alegría que sentía al ver a tantos niños reunidos en su casa. Mi abuela paterna buscaba ser un ejemplo de mujer cristiana para cada uno de nosotros.

Mis tres nietos son adoptivos, pero mi amor por cada uno de ellos es el mismo que tengo por mis hijos. Ellos forman parte de mi vida.

Un hecho que poquísimas personas saben es que ya soy bisabuela. Mi nieto Filipe Cardoso, hijo adoptivo de Renato y Cristiane, que hoy tiene 23 años, tiene una linda niña de dos años. Recientemente, pasé el día con ella en nuestra casa en el Templo de Salomón. Fue una gran alegría. Siempre estuve muy cerca de Filipe. Siento tan solo no tener el tiempo suficiente para estar más cerca de él y de mi bisnieta, pero tengo la certeza absoluta de que el Espíritu Santo los guiará y los protegerá en sus caminos.

Mis otros dos nietos son Vera y Louis. Ella tiene 24, él 23 años. Son hijos de Viviane y Júlio, y actualmente viven en San Pablo. Mi hija y mi yerno obtuvieron la guarda de ellos cuando eran niños, pero, poco tiempo después, la Justicia se los entregó a una familia norteamericana. Vivi y Júlio sufrieron mucho en ese período, pero jamás perdieron la perseverancia en sus oraciones. Vera y Louis estuvieron catorce años lejos, sin embargo, al alcanzar la mayoría de edad, por decisión propia, eligieron volver a casa.

Después de vivir días complicados en Estados Unidos, hoy siguen firmes la fe de sus abuelos y se convirtieron en jóvenes muy especiales. En la realización de este libro de memorias, fui sorprendida por dos cartas de ellos, redirigidas exclusivamente a mi biografía. La satisfacción se apoderó de mí al leer lo que escribieron. Comparto con los lectores cada palabra confortante registrada en los mensajes que están a continuación.

Gracias, mis nietos. Gracias, mis amores.

Carta de la nieta Vera

Cuando supe que me reencontraría con mi abuela, tanto tiempo después, me puse nerviosa. «¿Le agradaré? ¿Aún se acordará de mí?», eran los pensamientos que me vinieron, aunque mi madre me transmitía seguridad diciendo que ella deseaba ver a sus nietos y que sí, se acordaba de mí. Mi estómago daba vueltas del nerviosismo. Ya había hablado con mi abuela por teléfono, estábamos en Portugal y ella en Brasil, y desde que oí su voz, tuve el deseo de realmente ser su nieta. Mi abuela tiene una voz calma, baja y que transmite paz aun a kilómetros de distancia.

Recuerdo que fuimos juntos a buscar a mis abuelos en el aeropuerto. Quería ir bonita para recibirlos. Admito que estaba ansiosa, mis manos sudaban frío, pero cuando la vi por primera vez, enseguida me sentí bien. Estuve tan segura de su amor hacia mí que inmediatamente me tranquilicé. Solo Dios para explicarlo. Viéndola noté que no era nada de lo que me imaginaba y que mis miedos eran ridículos. Abracé a mi abuela con ternura y no tuve ningún problema de asumir mi posición de nieta.

No me acuerdo de mi abuela en la infancia. Desde el principio, yo era su amor. Tengo un simple recuerdo de su rostro, pero no de su afecto. Yo era muy chica cuando dejé nuestra casa. Al reencontrarnos, ella ya sabía quién era yo, pero yo necesitaba conocerla de verdad. Ella hablaba de momentos y situaciones vividas conmigo, pero yo no recordaba nada y eso me entristecía y preocupaba. «No soy más aquella niña», pensaba. Como la niña Vera la conquistó, yo, como adulta, ahora con 24 años, ¿también tendría esa chance?

Esa inseguridad terminó cuando mi abuela dijo que yo no había cambiado en nada, que tenía la misma forma de ser de cuando era pequeña. No tuve ningún problema de querer agradar y no ser quien realmente soy porque ella ya me había aceptado. Poco a poco, conociéndola más profundamente, la visión que tenía sobre el comportamiento de una abuela cambió. Mi referencia del papel de los abuelos venía de las películas. Yo nunca tuve una abuela solo para mí. ¡Nunca pensé que Dios me bendeciría con una familia completa!

Mi madre dice que mi abuela parece una ovejita y yo estoy de acuerdo. Ella es una mujer muy calma, cuidadosa y cariñosa, siempre dando besitos y abrazos. Una persona a la que le gusta reír, pero que también necesita servir y amar a los otros, sea quien fuese.

Ella vive y transmite el Espíritu por donde pasa y su amor por Dios es notado en todas las ocasiones. Un ejemplo de mujer en todos los aspectos. Su confianza en Dios es constante. Ella me enseñó a sonreír por todo lo que tengo. Para mí, ella es el propio amor, la paciencia y la paz del Señor Jesús conmigo.

Abuela, usted es única. Cuando la veo o solo pienso en usted tengo una sonrisa en el rostro. ¡La amo mucho!

Carta del nieto Louis

Mi abuela no estuvo mucho tiempo conmigo en mi infancia, pero desde la primera vez que me reencontré con ella, al igual que trató a mi hermana, ella sonrió, me abrazó y me dijo: «Ahora, soy una abuela realizada. Tengo a todos mis nietos».

Parece que por mi ausencia, ella no se sentía una abuela completa. Desde que volví a mi familia, no tuve la oportunidad de pasar mucho tiempo a su lado, no vivíamos en el mismo país y yo trabajaba mucho, pero los pocos contactos con ella me quedaron marcados.

Recuerdo una conversación telefónica cuando atravesaba momentos muy difíciles, de malos pensamientos en relación a todo a mi alrededor. Tomé la iniciativa de llamarla. Mi abuela atendió y con calma me orientó, me dio la seguridad de que todo iba a pasar. Es impresionante cómo me transmite esa paz que yo no sé explicar.

Tenemos un contacto menor de lo que me gustaría debido a nuestras rutinas, pero noto claramente que le encanta cuando está con los nietos. A veces, incluso llegaba a sentir un poquito de celos porque quería la atención de mi abuela solo para mí. Ella nos vino a visitar con más frecuencia después de que mi hermana, Vera, llegó. Yo tenía que trabajar, pero mi deseo era estar al lado de ellas todo el tiempo. Siempre es muy bueno cuando estamos juntos.

Voy a ser muy sincero: yo me siento honrado al saber que soy amado por toda nuestra familia y, principalmente, por ella. Observo una gran diferencia en el ambiente familiar que tengo hoy comparado con los demás en los que conviví, y yo creo que eso viene justamente de mi abuela, de su dulzura y de su fe.

Tal vez no tengo las palabras indicadas para expresar lo que siento en este momento por usted, pero me gustaría que supiera cuánto valoro todo lo que he recibido. Estar a su lado me hace bien.

Abu, yo la amo.

Gracias por su paciencia. Un abrazo grande de su nieto.

CAPÍTULO 6

Edir para mí

La esposa del obispo

Mis entrevistas con los periodistas son raras. Busco hablar poco para preservarme. Las experiencias vividas durante mi travesía de fe ahora estarán registradas en las páginas de este libro, con mis virtudes y defectos expuestos abiertamente. En una de esas pocas veces que atendí a un reportero, me preguntó sobre la misma duda de tantos otros lectores:

— ¿Cómo es ser esposa de uno de los mayores líderes espirituales del mundo? ¿Cuál es el desafío de ser la esposa del obispo Edir Macedo?

Mi respuesta contraría a la pregunta.

No es un desafío, sino una honra para mí. Afirmo eso por poder emplear todo lo que tengo y todo lo que soy, mi capacidad, mi empeño, mis vivencias, todas mis fuerzas a disposición de la Obra de Dios. Estoy realizada cuando ayudo en la formación espiritual de tantas mujeres, en el rescate de la identidad y de la autoestima de ellas, en la recuperación de quien se considera perdida, sea como esposa, madre o hija, e incluso en la enseñanza de los principios básicos de la vida doméstica.

La Iglesia es un imán de los más variados tipos de mujeres, que llegan hasta nosotros castigadas por las perversidades del mundo. Adolescentes, adultas e incluso ancianas se acercan repletas de cicatrices, desacreditadas, mal amadas, traicionadas, corrompidas, adictas, abusadas, enfermas, agredidas, acomplejadas, atormentadas en un laberinto de dudas y conflictos. Y todas cargan una misma esperanza: reciben nuestra mano extendida para reencontrarse en la vida. Los pastores de la Universal siempre están con los brazos abiertos, de día y de noche, son indispensables, claro, pero una palabra de mujer a mujer puede cambiarlo todo. A veces, solo un alma femenina puede asimilar el sufrimiento de otra y salvarla del abismo.

Mi función espiritual, actualmente, es esa. Hasta el comienzo de la década pasada, la participación de las mujeres estaba más limitada a las tareas internas de la Iglesia y a los cuidados del marido y los hijos. Desde entonces hasta ahora, Edir y yo visualizamos la prioridad y el valor de estimular a la mujer para poner manos a la obra, y los resultados son espectaculares. El propio Espíritu de Dios nos concedió esa dirección.

Yo misma, cuando estoy en San Pablo y no tengo otras obligaciones, atiendo personalmente y de sorpresa a las mujeres antes del culto de la Terapia del Amor, en el Templo de Salomón, durante casi una hora. A propósito, esa es una de las reuniones que más admiro juntamente con la reunión para padres e hijos, ambas realizadas por mi yerno Renato y Cristiane. No me pierdo ningún culto de esos, aunque tenga que verlo vía internet en el exterior. En el momento de la atención, tomo mi Biblia, me siento detrás de una mesa simple y converso, una por una con las que aguardan en la fila. Los problemas son múltiples. Cada mujer, joven o señora, trae una marca de dolor. Los cuestionamientos son variados.

—Yo no logro convivir con mi mamá. Ella siempre me golpeó y crecí odiándola. He frecuentado las reuniones, pero ese rencor no se me va. ¿Qué hago, señora Ester? ¿Puede orar por mi familia? —pregunta una joven, estudiante, de apenas diecisiete años.

Inmediatamente después, atiendo a una abogada, profesional de éxito.

—Trabajo mucho, soy independiente, gano un excelente salario y nunca acepté ser sustentada por ningún hombre. Me fui joven de casa para hacer mi vida y vencí. Voy a cumplir cuarenta años, pero nunca encontré un marido que me ame. Soy infeliz cuando estoy sola. ¿Cómo puedo encontrar un amor de verdad?

Es el turno ahora de una madre casi de mi edad, visiblemente abatida.

— Tengo depresión debido a mi hijo mayor. Él no me respeta. Él se pelea a los golpes con mi marido frente a mí. Creo que usa algún tipo de droga. Estoy desesperada, ¡por amor a Dios! — se descarga, en pleno llanto.

En algunos casos, confieso que me golpea el nivel de atrocidad de la historia.

— Vivo con un agujero dentro de mí. Mi papá abusó sexualmente de mí dentro de mi propia casa durante toda la infancia. Nunca estuve de novia, ni me acerqué a ningún hombre. Tampoco se lo conté a nadie, nunca. Solo una mujer puede oírme. ¿Usted me entiende, señora Ester? Necesito que alguien me ayude a salir de este infierno.

Es hora de respirar profundo, ser fuerte, dejar la emoción de lado, usar la inteligencia y transmitir la fe, la única arma capaz de poner a tantas vidas en el eje. También me dedico a oír cada necesidad, sin interrupciones ni intervenciones inoportunas, respetando el sufrimiento de quien busca ayuda. Allí, en aquel momento, no me importa ser «la esposa del obispo», sino alguien usada por Dios para comprar la pelea de aquellas personas.

Surge, entonces, otro vasto desafío al cual me he inclinado en los últimos años al lado de mi marido. El primer pelotón de choque a amparar a esas mujeres, de frente y de modo más profundo, son las esposas de los pastores. Ese ejército, por lo tanto, necesita estar preparado para ejecutar esa misión tan importante y compleja de tratar espiritualmente a esa gente. Eso sucede en Brasil y en otras decenas de países, después de todo, nuestro trabajo de fe no tiene fronteras. En cualquier continente, guardadas las debidas costumbres y aspectos culturales locales, el sufrimiento es el mismo. Las mujeres nos buscan vacías de los mismos tipos de necesidad.

Tenemos miles de esposas de pastores esparcidas en más de cien países, de las más diferentes nacionalidades, que son orientadas directamente por las responsables de cada nación con el apoyo del contenido de mis reuniones. Sea donde sea que esté acompañando el viaje misionero de Edir, dedico un tiempo para hablarles a las mujeres. Los encuentros son exhibidos en videoconferencia, en vivo, o grabados para ser estudiados en los lugares más distantes en función de los husos horarios.

Busco enseñar el verdadero papel de la esposa de pastor. Su espiritualidad es fundamental para que las demás mujeres confíen en ella para buscar el consejo o desahogar sus problemas. Les explico a todas el valor de meditar en la Biblia continuamente, aun teniendo varias ocupaciones. Edir suele decir, como si fuera una especie de regla, que no importa lo que hacemos en la Iglesia, sino lo que somos para Dios.

¿Cómo podemos ayudar a los otros si no tenemos la inspiración de la Palabra de Dios? Yo hago eso desde joven y continúo fielmente con el mismo hábito en los días de hoy. Siempre leo mucho la Biblia, sola, sea por la mañana o a la noche, ni bien encuentro un tiempo disponible. De tanto que mi hija me veía leyendo la Biblia, ella sugirió que hiciera un blog con posts diarios de versículos que leo, entonces, surgió fonteajorrar.com. A través de él, soy feliz de estar más cerca de las personas que escriben comentarios cariñosos en cada post. Ese conocimiento mío también ha ayudado mucho a Edir a recordar hechos bíblicos, muchas veces, fundamentales en las decisiones espirituales de la Iglesia. Eso ocurre en nuestro día a día, con mucha frecuencia.

Doy mi ejemplo, para explicarles a las mujeres el valor de dedicarse a la meditación constante de la Palabra de Dios. Tengo un empeño mayor con las más jóvenes, mujercitas recién casadas, la mayoría de buena índole y llenas de voluntad, pero aun sin madurez suficiente para asumir tamaña responsabilidad. Gran parte, a veces, aún enfrenta batallas personales.

— Ustedes necesitan enseñarles a las mujeres casadas, miembros de la Iglesia, a mirar al marido con amor, ternura y consideración, aunque él no esté convertido. Eso sirve también para cada una de nosotras, esposas de pastores, no importa su edad. Mirar a su compañero como si fuera el propio Señor Jesús. Hacer todo para él, como si lo estuviera haciendo para el propio Dios — orienté, en una de las reuniones retransmitidas directo desde Estados Unidos.

Los frutos son gratificantes.

Por donde viaje, entre una estadía y otra, generalmente alguien comenta que fue beneficiada con el aprendizaje. Muchas mujeres cuentan que vencieron el orgullo, dejaron de ser irresponsables en la casa, comenzaron a vivir más cerca de su marido, dejaron de ser quejosas.

— Aquel versículo mencionado por usted abrió mis ojos. Habló fuerte conmigo y me mostró cómo puedo cambiar. Solo un versículo — comentó, hace poco tiempo, la esposa de uno de los obispos antiguos de la Iglesia.

Es una escuela de fe, de hecho.

Edir suele decir:

— Verdaderamente Ester, tú eres la madre de la Iglesia Universal.

También es así que me siento, aun sin merecerlo. No imagino mi vida de otra manera. Sé que soy una privilegiada.

Para mantener una buena relación con las mujeres de los pastores, sigo el ejemplo de mi marido. Una de las cosas que más me impresiona en Edir es la manera en la que es considerado por los demás compañeros de púlpito en cualquier parte del planeta. Su autoridad no es impuesta, fue conquistada por su historia, por todo lo que construyó a base de mucho sudor y creencia en las promesas de Dios. Predicadores europeos, africanos o latinos, muchos aun sin nunca haber pisado Brasil, admiran la presencia de Edir. Es una reverencia genuina observada por quien está más cerca y, tal vez, desconocida por el gran público.

Ese respeto no transforma a mi marido en un líder religioso orgulloso y mandón. Al contrario, me sorprende la manera en la que Edir trata a los pastores de igual a igual. Él no renuncia a la disciplina, al rigor moral, evidentemente, sino que tiene placer en la compañía de hombres y mujeres que, como nosotros, dedican sus vidas a rescatar a los afligidos.

Nuestro círculo de amistades está formado exclusivamente por gente vinculada a la Iglesia. Nos esforzamos en tratarlos bien. Cuando recibo a uno de ellos en casa, por ejemplo, dejo todo lo que estoy haciendo para ofrecerle el mejor trato. Me gusta recibir bien a quien se hospeda en nuestro hogar. Amo recibir invitados en nuestra casa. Cuando un pastor u obispo llega de viaje, transferido por la Iglesia o solo para permanecer algunos días en una reunión con nosotros, inmediatamente me ofrezco para planchar su ropa. También tengo placer en llevar a nuestros amigos a conocer la ciudad, estemos donde estemos en ese período.

Hago todo eso con buen humor, jamás ando con mala cara. Edir permanece concentrado en la oficina leyendo la Biblia, oyendo la voz de Dios, preocupado por cómo enseñarles a las personas. Él se concentra tanto en la responsabilidad de liderar al pueblo de Dios que permanece en su rinconcito durante horas y horas seguidas. Mi marido piensa como las escrituras: «...y os daré pastores según Mi corazón, que os apacienten con ciencia y con inteligencia» (Jeremías 3:15). Mi parte, como mínimo, es tratar con gentileza a quien nos visita.

También soy recibida con hospitalidad donde quiera que llegamos. Todo el tiempo nos aguarda una sonrisa en cualquier parte del mundo. Siempre nos reservan un cuarto propio, decorado, perfumado, con sábanas y toallas nuevas. Flores frescas se encuentran esparcidas en algunos ambientes de la casa. No miden esfuerzos para tratarnos con cariño, existe una voluntad inmensa de agradarnos en todo. Es una recepción mucho mejor que la de la mayoría de los hoteles de lujo. No soy recibida así ni en la casa de parientes. Por eso, también aprecio mucho a esas mujeres. Como ya dije, las considero mis hermanas de verdad.

Ese soporte especial a las mujeres de la Iglesia, al cual me dedico, fue intensificado más recientemente, desde 2010, con el surgimiento del proyecto Godllywood, ideado por mi hija Cristiane. Sentíamos la necesidad de ayudar a las mujeres de la Iglesia a ser mujeres de Dios. Nuestro principal objetivo es llevar, principalmente a las jóvenes, a convertirse en jóvenes ejemplares y opuestas a las influencias e imposiciones del mundo, en especial de Hollywood. De ahí el nombre: God, que significa Dios en inglés.

En las actividades de los grupos, divididos por franjas etarias, la intención es desarrollar en la mujer diferentes talentos capaces de transformarla en una persona mejor. Esposa, hija, profesional, soltera, novia, prometida, madre, nieta, amiga, prima. La propuesta es enseñar e influenciar a todas, sea cual sea la edad, y actuar de acuerdo con la Biblia. Son orientaciones y tareas que estimulan el lado creativo, la independencia, el cuidado con la apariencia e incluso los lazos de amistad con otras mujeres de fe, pero lo realmente principal es el desarrollo espiritual — ese es nítido en las mujeres que forman parte del Godllywood.

Hoy, enseñamos incluso a niñas de menos de catorce años los primeros pasos de una vida correcta, de los principios cristianos, inclusive los fundamentos elementales para cuidar una casa, cómo tender la cama y arreglar el guardarropa, lavar los platos o cocinar. Es el Godllywood School. El experimento ha sido un éxito. Los padres de los grupos ya formados notan la diferencia en la forma de pensar y actuar de las niñas.

También hago reuniones periódicas con las integrantes jóvenes y adultas del Godllywood. La mayoría se realiza, en promedio, con diez mil presentes en el Templo de Salomón, y transmisión simultánea para todas las capitales brasileñas y otras ciudades del mundo.

Frente a tantas responsabilidades, tengo algo que admitir: muchas veces me siento impotente para realizar todo con excelencia. Quisiera tener más tiempo para atender a todas las mujeres. Quisiera tener condiciones de estar más cerca. Quisiera hacer más.

El hombre que nadie ve

Antes que obispo, mi marido es para mí Edir Macedo Bezerra. La convivencia durante tanto tiempo me hizo descubrir a un hombre poco conocido por mucha gente. Alguien con una manera de vivir simple y casera, raramente visto fuera de nuestra privacidad. Dentro de casa, con la familia o entre los compañeros de la Iglesia, fuera del Altar, él es una persona común, amiga, sin ningún tipo de hábito arrogante y afectuoso con quien se le acerca.

Una particularidad de Edir, por ejemplo, es ser un buen anfitrión. Se ocupa de recibir bien a todos los que nos visitan, sean personas cercanas a nuestra familia o no. Les abre la puerta a las visitas, recibe a cada una y se despide llevándolas hasta la salida. Cuando estamos en un departamento dentro de los predios, generalmente en las Iglesias en las que vivimos, solo descansa cuando la puerta del elevador se cierra.

Desde recién casada, él me pedía atención con respecto al trato de quien recibíamos en casa. Yo ya tenía esa práctica enraizada por la educación de mis padres, pero mi marido reforzó eso en mí. El café, el agua, la sonrisa y la cordialidad en general, deben ser nuestras obligaciones, por eso, no renunciamos a orientar así a las jóvenes que nos auxilian en el cuidado del hogar.

También veo ese comportamiento acentuado en él cuando recibimos visitantes en el Templo de Salomón, inaugurado hace dos años. Como ya es sabido en todo Brasil y en el exterior, el Templo es una réplica del santuario original construido hace tres mil años por el rey Salomón en Jerusalén y se convirtió en un marco en el paisaje de San Pablo. Pero su significado va mucho más allá.

Durante mucho tiempo, Jerusalén, la Ciudad Santa, esparció su gloria por el mundo al albergar al antiguo Templo de Salomón. Pero hoy, solo con las ruinas del muro que antes envolvía a la Casa de Dios, es imposible vivir las experiencias de fe proporcionadas un día por el Templo. Por ese motivo, creo que la construcción del Templo de Salomón en Brasil fue un sueño que el Altísimo le realizó a la Universal.

Día tras día, durante los cuatro años de construcción en el sencillo barrio de Brás, ese sueño se fue transformando en realidad. A medida que todo tomaba forma, cada elemento sagrado colocado en su debido lugar, pensábamos en el gran día en que las puertas de la Casa de Dios serían abiertas. Miles de personas vendrían de todas partes del mundo para adorar allí al Único y Verdadero Dios.

Mi marido y yo seguimos la obra en los detalles mínimos. Desde la piedra fundamental hasta las columnas, desde las luminarias hasta la tela de las butacas, desde las piedras de la fachada hasta el revestimiento del Arca de la Alianza. Todo fue elegido minuciosamente por Edir y por mí. Siempre con consideración, cuidado, cariño y temor. Viví esa fase muy feliz. Aun viviendo en un departamento confortable, en un barrio privado de la zona sur de San Pablo, opté por mudarme al barrio de Brás debido a la oportunidad de oro de residir en el Templo de Salomón durante el tiempo en que estamos de paso por Brasil.

Me involucré día y noche en la construcción. Visité la obra, sola o con mi marido, durante meses seguidos. Orientaba personalmente a arquitectos y decoradores para que ejecutaran lo mejor, con celo por cada pedacito del Templo. Estaba realizada por hacer esas tareas tan nobles en la Casa de Dios. Aun enfrentando dificultades con mi salud, me empeñé al máximo. Tenía fuertes dolores de cabeza y dificultades para respirar durante aquel período causadas por los continuos viajes de avión alrededor del mundo. Pero mis fuerzas se renovaron allí. Fue un privilegio para mí.

Nuestras expectativas aumentaban conforme el día de la inauguración se acercaba. No teníamos otro tema en casa. Edir y yo preguntábamos sobre el evento tan esperado de día y de noche. Cuatro años de construcción para aquel momento especial. Era una verdadera cuenta regresiva.

Fue con esa expectativa arraigada dentro de nosotros que el 31 de julio de 2014, a las ocho de la noche, el sueño de la inauguración se concretó.

Edir y yo recibimos a las más importantes autoridades de Brasil. Como ya relaté, presidente, vicepresidente, gobernadores, alcaldes, diputados, senadores y ministros de Estado. Embajadores, jueces, fiscales, procuradores y los principales jefes de la policía brasileña y representantes del alto nivel jerárquico de las Fuerzas Armadas. Y además: los más renombrados empresarios, integrantes de la comunidad judía, periodistas, artistas, conductores, dirigentes y propietarios de las mayores emisoras de televisión y radio del país. El pueblo, sobre todo, ocupaba un espacio especial y exclusivo para hacer brillar al lugar.

Además de ayudar en la organización del evento, mi participación fue la de recibir a las mujeres que llegaban junto a los hombres públicos. Otra gran responsabilidad.

La cordial manera de recibir a las personas, un rasgo marcado en la personalidad de Edir, fue su pedido constante a todo el equipo organizador del evento. Y todo salió bien. El Espíritu Santo dirigió cada detalle de aquella noche inolvidable. El día que quedó marcado como la entrega del regalo del Señor al mundo: un nuevo Templo para manifestar Su gloria y así levantar personas a una nueva vida.

Al finalizar la ceremonia, todos se fueron felices elogiando el modo en el que habían sido tratados y atendidos. No había manera de organizar solos toda esa formalidad. Por eso, es necesario registrar el enorme empeño del matrimonio de Núbia y Domingos Siqueira, que lideró el gran ejército de hombres y mujeres de Dios en la organización del evento de inauguración. Ellos no midieron esfuerzos para acertar en todos los detalles de aquella fiesta.

Exactamente un año después de la gran inauguración, en una mañana fría de lunes, mi marido y yo recibimos a Silvio Santos en el Templo de Salomón, acompañado por su esposa, Íris, y su hija menor. No se veían hacía diecisiete años, pero conversaron como si se hubieran hablado durante todos esos años. Nosotras, las mujeres, hablábamos poco, ya que su conversación dominaba aquel momento. Admiro a mi marido, aún más, cuando lo veo aprovechando esas oportunidades para compartir su fe, sea con quien sea, famoso o no famoso, pastor, miembro o ateo. Cuando Edir comienza a hablar de la fe, se entusiasma tanto que es capaz de conversar durante horas.

—Yo soy la prueba viva de que Dios existe, Silvio. Nada de esto sería posible si no tuviera Su dirección. Cien por ciento. Toda honra y gloria a Él. Nosotros somos solo instrumentos para la realización de Su voluntad. Lo más importante es que este Templo va a quedar para siempre, para llevar a las personas a reflexionar sobre la grandeza de Dios — afirmó mi marido.

Tomados de las manos
para siempre

Una de las lecciones más ricas que aprendí desde mi conversión a la fe en el Dios de Israel es la de mirar siempre hacia adelante. Vivo intensamente el presente, luchando por la causa del Evangelio, buscando ser la esposa ideal para mi marido y una madre protectora y consejera, intentando cada día vencer mis defectos, como cualquier mujer común, sin preocuparme por los hechos reservados para el día de mañana.

El futuro está en las manos de mi Señor. Tuve que adaptarme a no hacer ningún plan y confiar que Él va a proveer de alguna forma. Aún no conquisté todo lo que me gustaría. Mantengo mi confianza en Dios de que un día yo veré con mis ojos la victoria que tanto anhelo.

Intento cuidar mi salud y restringir la alimentación para vivir más y mejor. No es una tarea fácil. Fallo mucho en eso. Tengo una enorme dificultad para adelgazar. Perder peso a mi edad realmente es más complicado que cuando tenía veinte o treinta años. Las dietas parecen no hacer el mismo efecto, y cuando lo hacen, soy yo quien no logra mantenerlas.

Además de las alteraciones hormonales, el metabolismo de mi organismo cambió. Es decir, continúo comiendo con 66 años la misma cantidad que comía a los cuarenta, pero engordo más. La batalla es difícil. Para empeorar, no me gusta la gimnasia. No me gusta el sudor. Tengo dificultades para ejercitarme. Raramente hago caminatas en la cinta. Edir es lo opuesto a mí en eso. Por más que no le gusten los ejercicios, él es constante en eso y siempre dice: «Voy a cumplir la obligación con mi cuerpo». Mi marido siempre me incentiva a hacer lo mismo y yo, muchas veces, lo acompaño al gimnasio, pero si él no va, usted no me verá allá.

De cierta manera, ya tengo una edad avanzada. Tengo que redoblar el cuidado con cosas que no me preocupaban antes, como usar zapatos de taco alto. Prácticamente no los uso más porque no tengo el mismo sentido de equilibrio de una joven. El riesgo de caer es grande y un accidente hoy en día puede lastimarme mucho. Fue lo que me sucedió recientemente. Cuando me di cuenta, ya estaba con la cara en el piso. Mi rostro se hinchó, quedó rojo, como si hubiera pasado por una seria cirugía. Mi hija Cristiane mandó a sacar todas las alfombras de la sala, contra mi voluntad. Por un lado, yo sé que todos me quieren bien, pero por otro, no es fácil saber que la edad puede limitar tanto.

Mi *hobby* favorito es coser. Vivo buscando ropa para arreglar y, por cambiar de peso muchas veces al año, termino aprovechando para achicar o agrandar la ropa. No soy muy de ver televisión, a no ser el Informativo de Red Record y las novelas bíblicas. Edir es más propenso a las películas que yo. Entonces, cuando estamos fuera de Brasil y hay una buena película en el cine, él me lleva a verla. Si no tiene acción todo el tiempo, soy capaz de cabecear y él se ríe mucho. No tenemos una vida social muy activa, estamos la mayor parte del tiempo entre casa y la Iglesia. No somos de ir a restaurantes, pero, a veces, para distraernos un poquito, salimos con amigos. En el fondo, preferimos comer en casa.

Otro *hobby* que tengo irrita un poco a Edir. Me gusta cambiar la posición de los muebles en la decoración de la casa, lo que generalmente provoca algunos roces, como voy a contar algunas líneas más adelante. Tengo manía por la limpieza. Para mí, la casa tiene que estar brillante todo el tiempo. Soy alérgica al polvo, uso varios tipos de cremas para la piel y el rostro. Cuando estoy en Brasil me gusta ir a hacerme masajes para reducir la hinchazón del cuerpo, aprecio estar bien arreglada y, para contrariar la mala fama de las mujeres en el tránsito, me esmero cuando estoy al volante.

Esa soy yo. Ester. Mi vida como un libro abierto. Una mujer exactamente igual a las demás.

Faltó, claro, lo más importante: cuido mi interior, cuido mantener mi espíritu en comunión con el Altísimo. La salvación de mi alma es y siempre será mi prioridad por encima de todas las cosas.

Debajo de mi relación con Dios, le dedico atención absoluta a mi marido. No podría ser diferente, después de todo, es lo que la Biblia le enseña a la mujer. Vivo pegada a Edir las veinticuatro horas del día, los trescientos sesenta y cinco días del año. Aún más después de que nuestras hijas se casaron, desde entonces estamos juntos todo el tiempo, enfrentando también nuestras diferencias en el día a día. Cuando nos vemos obligados a estar distantes, sentimos un vacío. Suelo mantenerme a su lado, a veces, sin decir nada, solo cerquita.

Nosotros dependemos uno del otro como dependemos de Dios.

Si Edir necesita salir solo hacia algún culto, todo suele salir mal. Él confunde el camino, olvida anotaciones, se desordena con algo. Se pone feliz solo porque yo esté cerca de él. Un día, él programó una reunión en Río de Janeiro, pero no pude acompañarlo porque fui sorprendida por un imprevisto. Renato y Cristiane terminaron viajando con él y notaron a Edir cabizbajo, mal humorado, mucho tiempo en silencio.

— Mi suegra suple todo para él. El obispo Macedo no es igual a muchos hombres que llegan a una edad y se cansan de las esposas. Él es muy unido a la señora Ester. Yo veo eso en mi matrimonio. Cuanto más pasa el tiempo, más pegados quedamos uno del otro. Es algo bonito y no muy común en las relaciones del mundo. Es lo que realmente Dios planeó para el hombre y la mujer — observa Renato.

— La señora Ester sabe lo que él está pensando solo por la mirada. Uno logra anticiparse a lo que el otro desea. Ella es una mujer mansa, que se da y no se cansa de hacer el bien, jamás. Veo mansedumbre en sus actitudes. Ella comprende las formas diferentes de ser del esposo, de las hijas y de los yernos, y nos alienta. Es el punto de equilibrio del obispo. Él no da un paso siquiera lejos de ella — añade Júlio, mi otro yerno.

Cuando me veo obligada a ir al supermercado, al dentista o a algún tratamiento médico, aquellas horas que paso lejos de Edir me incomodan. Al prepararse para predicar, estoy a su lado para arreglarle el cuello de la camisa y ajustarle la corbata. Él comenta sobre mi ropa. Estamos juntos a la hora de la comida, en los viajes misioneros, en la Iglesia, en los inusuales paseos. Se queda tranquilo solo de saber que estoy presenciando sus reuniones. Yo lo observo. Yo lo admiro. Aprecio su trabajo, su dedicación, su garra. Es una sensación de compañerismo pleno.

Es muy cierto que muchas veces, vivir tan cerca puede provocar algunos pequeños conflictos. Me apasiona decorar las casas, arreglar los objetos de decoración, los cuadros y los muebles. No estudié arquitectura ni decoración, pero aprendí a aprovechar mejor los espacios. Doy opiniones, converso con decoradores y logro perfeccionarme en esa área año tras año. Me gustan mucho los portarretratos con fotos de mi familia esparcidas por las habitaciones. Me gusta mantener los ambientes elegantes y armoniosos para recibir a las visitas o incluso para sentirnos bien. Generalmente, extiendo la misma decoración a los estantes y al escritorio de la oficina de Edir, lo que genera en él cierta molestia.

— Caramba Ester, necesito espacio en mi mesa de trabajo. ¿Para qué esos retratos en el lugar de mis libros? Yo necesito facilidad para agarrar lo que yo quiero. Puedes transformar toda la casa, pero déjame disponer de la oficina — se queja siempre.

Cuidadosamente, intento argumentar que solo se trata de una prueba para poner al lugar más bonito, pero nunca funciona. A veces, él autoriza un cambio u otro. En la mayoría de las situaciones, la solución es retroceder deshaciendo mi decoración. Sin embargo, en cuanto se olvida buscamos una manera de dejar todo en el mejor lugar. En el fondo, Edir ya aceptó que en casa yo soy la reina y él termina cediendo a mis voluntades. Si hiciéramos su voluntad, sería una casa con poquísima decoración, muchos espacios vacíos y nada de cortinas. A él le gusta ver al sol entrar en nuestro hogar. El sofá sería «estilo del abuelo»: comodidad nota diez, belleza nota cero.

La misma situación con el aire acondicionado. Yo siento calor con facilidad, ya estoy en la edad de cambios en mi organismo. Aun antes de todo ese cambio, ya era más calurosa que él. Por su parte, Edir siente frío con facilidad, ya está en la edad en la que el cuerpo duele ante el primer viento que sopla. ¿Y qué hacer? Conecta y desconecta el aparato. Abre y cierra la ventana. Tira y empuja las puertas de los balcones. Parece un «tira y afloja», pero al final siempre nos entendemos. Pero, lo que más me enoja es cuando Edir me dice gorda. Me arrasa, aun sabiendo que tiene razón en exigirme que cuide más mi salud.

Confidencias aparte, somos muy apegados. Eso ocurre desde el principio, en los tiempos del noviazgo. Yo me entregué a Edir cuando él no era nadie, o sea, cuando no tenía prácticamente nada para ofrecerme, con excepción de su bien más precioso: el Espíritu.

— Mi mamá es paciente. La fe de ella es estable, constante, lo que la transforma en esa mujer equilibrada y de confianza — reflexiona Cristiane.

— El matrimonio de ellos me mostró a Dios. Mi referencia de hogar viene de mi papá y de mi mamá. Yo deseé un matrimonio que reflejara exactamente lo que viven. Muy unidos, sumamente cercanos, uno valorando al otro con respeto — concluye Viviane.

Aprendí a interpretar determinados comportamientos de mi marido como demostración de cariño en función de su personalidad. Edir no es un hombre meloso, que repite «mi amor» todo el día o que escribe notitas románticas cuando se va a trabajar. Él demuestra su afecto, entre otras formas de actuar, deseándome cerca de él con ganas, dándome importancia, revelando su dependencia de mí. Muchas veces dice «yo te amo» con un simple gesto al acariciarme el brazo o al apretar mi mano con ternura. Es como si estuviera deletreando cada sílaba de esa declaración de amor. Después de un tiempo, aprendí a dejar de esperar que él fuera como los hombres románticos del cine y comencé a apreciarlo de la manera como es. Mi marido no es un hombre romántico según los modelos del mundo, pero, con esa forma de ser, me hace sentir la mujer más amada de todas.

Es mi compañero que tiene una manera propia de amar, muy diferente al modo convencional de la mayoría de los hombres.

Honestamente, no veo a Edir con ninguna otra mujer. Otra esposa probablemente no comprendería ese fuerte genio muy peculiar de él y, al mismo tiempo, su forma de transmitirle afecto a su compañera. Tal vez no tendría capacidad emocional suficiente para soportar tantas batallas y durísimos obstáculos como enfrenté. Situaciones de aflicción en los que una palabra negativa o una actitud equivocada podrían echar todo a perder.

— Yo buscaba a la mujer adecuada cuando estaba soltero. Alguien fuerte, capaz de soportar tantas adversidades conmigo, que me apoyara en todo y nunca desistiera de nuestros ideales. Una mujer que no me debilitara. Dios sabía lo que iba a suceder conmigo, por eso, colocó a Ester a mi lado — reflexiona mi marido.

— Mi papá sin mamá no sería mi papá. Él no habría logrado hacer todo lo que hizo. La importancia de ella para la Iglesia Universal es enorme, más importante de lo que las personas imaginan — define Cristiane.

Edir lo reconoce e incluso ya lo ha afirmado públicamente varias veces, como forma de reconocimiento. Yo me siento feliz cuando él me elogia durante las reuniones. ¿Qué mujer no aprecia una palabra positiva de su amado?

— Señora Ester, el obispo dijo algo tan bonito sobre usted hoy en la reunión. Nunca oí algo así. Me gustaría mucho que mi marido fuera así — comentan, con buen humor y encantadas, muchas esposas.

Reconozco que la condición para todo eso, antes que nada, viene de Dios, pero oír a mi compañero expresar lo que piensa de manera elogiosa me hace sentir importante, valorada, y me impulsa a ser cada vez más una mujer totalmente dedicada a él.

Esa dependencia de Edir conmigo ha sido cada vez más intensa en los últimos años, conforme nuestras edades avanzan, lo que redobla mi empeño en atenderlo con mayor celo, ternura y, digamos así, eficiencia. No quiero decepcionarlo en nada. Ni en las actitudes, ni en mis reacciones. La mujer que maltrata, niega cariño o deja de cuidar a su marido, está rechazando lo que Dios le dio. Cuando era soltera, imploraba en mis oraciones por un compañero fiel, de carácter, temeroso de Dios, y Él me lo dio. Mi matrimonio es un regalo divino, por eso, debo aprovecharlo y preservarlo hasta mi último día de vida.

Edir Macedo Bezerra es el marido que yo Le pedí a Dios.

Exactamente como lo deseé. Soy su fan número uno. Vibro con todo lo que hace. Todas las virtudes que estimo en un hombre están en él: coraje, corrección, fidelidad, determinación, buen padre, buen hijo y, por encima de todo, lo que más me encanta: la pasión por las almas. Sentimiento de fe que me contagió y transformó mi historia. Somos amantes, somos amigos, somos cómplices, nosotros dos somos uno. Creo que existe un lugar donde la mujer puede ser considerada reina: al lado de su marido. Y Edir me hace sentir así todos los días.

Una noche reciente, solos en nuestro cuarto, Edir desahogó algo que traduce con exactitud lo que vivimos:

— Ester, yo no sé qué será de mí si tú mueres.

Yo solo fui capaz de responder:

— Edir, yo no sé qué será de mí si tú mueres.

No tenemos miedo a la muerte. Nuestras vidas están sacrificadas en el Altar desde que tuvimos un encuentro con Dios. La salvación eterna es una promesa bíblica para los que aceptan y viven esa fe. Pero la ausencia de uno y de otro permanece. Mi falta para él no terminará. La falta de él para mí será para siempre.

Ese es el verdadero amor que viene de la fe.

Hoy, 45 años después, pensando en nuestro matrimonio, sé que yo no elegí a Edir, ni él me eligió. Fue una elección de Dios. No existe una explicación humana para comprender cómo fuimos unidos.

La primera mirada. Yo nunca había reparado en él. La negación de Edir al verme por primera vez y, tanto tiempo después, su encanto por mí. ¿Por qué necesité tener clases de matemática justamente cuando él estaba dispuesto a enseñar? ¿Cómo mi familia lo recordó como profesor particular?

La belleza de la discreción. ¿Cómo mi modo de ser tímido atrajo a un joven osado? ¿De qué forma él fue cautivado por un atributo no tan admirado por los hombres?

El conflicto de genios ya como novios. La lucha para vencer tantas barreras y aspectos totalmente divergentes de nuestras personalidades. Dos crianzas contrarias, dos egos distintos. Diferencias e individualidades que ahora se complementan.

El fin de los compromisos pasados. Nuestras relaciones terminaron aparentemente por razones triviales. Yo no estaba interesada en comenzar otra relación. Luchábamos contra heridas casi cicatrizadas en el campo afectivo deseando encontrar a la persona adecuada.

La inolvidable noche del cine. Parecía que éramos conocidos de una fecha tan distante. Era como si estuviéramos contando los días y los minutos para que llegara aquel instante supremo. La pieza que faltaba encajar.

Ya casados, lo que caminaba en dirección a desunirnos generó aún más conexión y complicidad. La falta de dinero, casa y, a veces, incluso comida. La revisión de las cuentas dentro del baño. Lugares sencillos para vivir, pero enriquecidos con mucho cariño y respeto.

El rechazo de los que nunca creyeron en Edir. Los obstáculos del derrotismo. Un predicador de la Palabra de Dios sofocado. La tristeza de una esposa convertida en honra al lado del marido.

El nacimiento de Viviane. ¿Cómo el defecto físico de una niña despertó una sucesión de tantas conquistas? Cirugías, tratamientos, médicos. Angustias sin fin. El sufrimiento recompensado por una actitud de fe.

Las luchas en los primeros pasos de la Iglesia. La glorieta, la funeraria, los programas de televisión, los estadios, los viajes, el aislamiento, la vida sin un hogar fijo. Piedra por piedra de una difícil construcción.

Los ataques contra mi familia. Mentiras, humillaciones, insultos, cobardías. El absurdo de la prisión tiene marcas expuestas hasta hoy. El exterminio, dado como seguro, fracasó.

En cada uno de esos momentos, un lazo que jamás se rompió. Una escena de hace casi medio siglo atrás ganó un significado espléndido. La felicidad fuera de lo común de Edir en la ceremonia de matrimonio fue registrada por las fotos. Todos comentan hasta hoy la sonrisa que no salía de sus labios, de principio a fin de aquella noche. Un novio radiante, una novia realizada.

La alegría estampada en nuestros rostros no era simplemente por el juramento mirándonos a los ojos, delante de la cruz, sino por vivir una experiencia mayor que tal vez no teníamos la dimensión exacta de lo que representaba. Era el propio Espíritu Santo uniéndonos para construir una nación con millones de hijos llamada Iglesia Universal del Reino de Dios.

Un proyecto espiritual nació allí en nuestra alianza en el altar. El punto de partida para una gran obra que rescataría a hombres y mujeres, de las más diferentes etnias, culturas e idiomas, por todos los rincones del mundo.

*«Bueno me es haber sido humillado,
para que aprenda Tus Estatutos.»*

(Salmos 119:71)